# 열일하는 

# 파금기사

열일하는 과금 기사 9

**초판 1쇄 발행 2022년 6월 30일**

지은이 | 박건
발행인 | 신현호
편집장 | 이호준
편집 | 송영규 최종건 정재웅 양동훈 곽원호 조정범 강준석 최성회
편집디자인 | 한방울
영업 | 김민원

펴낸곳 | ㈜ 디앤씨미디어
등록 | 2002년 4월 25일 제20-260호
주소 | 서울시 구로구 디지털로 26길 111 JnK디지털타워 503호
전화 | 02-333-2513(대표)
팩시밀리 | 02-333-2514
E-mail | papy_dnc@dncmedia.co.kr
블로그 | blog.naver.com/gnpdl7

ISBN 979-11-364-3427-2 04810
ISBN 979-11-364-2823-3 (SET)

박건 판타지 장편소설
9
Papyrus Fantasy Story
열일하는
파문기사
PAPYRUS
파피루스

chapter1.

# 오두룡 크로매틱 드래곤의 봄날

# chapter1.
# 오두룡 크로매틱 드래곤의 봄날

[이번 몬스터 사태로 인한 총 사망자는 3,137명, 부상자는 22,111명입니다. 현재 부상자분들은 치료 후 귀가하거나…….]

[정부는 이번 몬스터 사태에 대해…….]

[어째서 지금까지와 다른 양상의 공격이 가해졌던 걸까요?]

[순직한 김창식 특경은…….]

십수 개의 디스플레이가 온갖 화면을 비추고 있다. 모두 다 다른 방송사에서 송출되는 방송이지만 주제는 같다.

이번 몬스터 사태가 34지구에 던져 준 충격은 그만큼이나 컸다.

'고작 3분 만에 3천 명이라니.'

34지구의 사망 원인 중 60%가 자살이다.

34지구 사람들이 특별히 자살을 많이 해서가 아니라 다른 사망 원인이 거의 없기 때문이다. 사건 사고도 재해도 없다. 불치병 따위는 교과서에서나 나오는 단어, 34지구의 대형 병원쯤 되면 '시체 빼곤 모두 살려 내는.' 수준이니 더 말해 무엇하겠는가?

그런데 그런 34지구에서 3천이 넘는 인원이 한 번에 죽었다.

근 50년 내 벌어진 최악의 참사다.

[몬스터 사태에 관해 이야기를 들어 본 분들이 많으실 텐데요.]

[더는 남의 일이 아닙니다! 다시는 이런 참사가 발생하지 않도록……!]

[몬스터 특별법의 재정에 관해…….]

몬스터 사태는 우주적인 재앙이지만 34지구 사람들에게는 남의 일에 불과했다.

당연한 일이다. 옆 나라에서 전염병이 돌아 수십만 명이 죽어도 돌아서면 잊는 게 인간인데 다른 나라도 아닌 다른 행성, 다른 문명의 피해가 뭐 얼마나 와닿겠는가?

그러나 지금, 34지구의 사람들이 몬스터 사태를 '우리

일'이라고 여기게 되었다.

[이번 몬스터 사태에 신속한 대처가 화제인데요. 어떻게 이런 일이 가능했을까요?]

[예지 능력의 힘이지. 우리 운명 학파는 세상 모든 카르마의 흐름을 파악해 미래를 볼 수 있으니까!]

디스플레이 중 하나에 인터뷰어와 마주한 운명 마탑의 탑주, 럭키 스트라이크의 모습이 보인다.

[하지만 몬스터 사태는 예지가 안 된다고 들었는데요. 무엇보다 초월자는 예지에 면역이지 않습니까?]

[그렇긴 해. 하지만 꼭 연못에 떨어지는 돌을 봐야 그 위치를 알 수 있는 게 아니듯 보통의 인간, 혹은 건물들의 미래를 살피면 대략적인 예측이 가능해. 어지간해서는 어려운 일이지만…… 녀석들은 정말 대규모 테러를 벌이려 들었지. 물결이 이리 큰데도 예지하지 못한다면 운명의 대마법사라는 이름이 울겠지.]

럭키 스트라이크의 말에 나는 그제야 34지구의 기민한 대처에 대해 알 수 있었다.

'미리 알았군. 하기야 아무리 그래도 그렇지 너무 빠르긴 했어.'

이번 일은 여러모로 충격적이었다.

초월급 몬스터가, 심지어 11개체가 도시 한 가운데 뻥하고 나타났는데 3분 만에 정리된 것이다.

'20레벨도 아니고 22레벨이었는데…….'

나는 심해의 혼돈, 쉠곤을 떠올렸다.

고작 3분 만에 쓰러트렸지만…… 녀석은 절대 약하지 않았다.

'나와 동급. 아니, 어쩌면 더 강한 녀석이었다.'

물론 싸우면 이기기야 했을 것이다. 내게는 로그인&로그아웃 능력이 있으니 장기전으로 몰고 가면 나보다 확연히 강한 적이 아닌 이상 어떻게든 이겨 낼 수 있는 것!

그러나 아무리 그래도 3분이라니?

"허……."

절로 신음이 나온다.

아르데니아에서 황제, 그러니까 한재연이라는 인간은 어떤 존재인가?

나는 살아 움직이는 전설이자 하계에 강림한 신화이다. 새로운 세상을 연 시대의 거인이자 대륙의 주인이었다.

그러나 지구에서는 어떨까?

어떠냐 하면.

3분이다.

"3분……."

내가 저 몬스터 입장이었어도 달라질 건 아무것도 없었다. 로그인&로그아웃 능력도 소용없다. 오래 버텨 봐야 경찰 특공대와 군인만 늘어날 뿐이니까. 어쩌면 초월자까지 나타날 테니 5분을 버텨도 잘 버틴 것이겠지.

'차이가 이렇게나 크다니.'

34지구가 마경이라는 사실은 익히 알고 있었으니 초월급 몬스터고 뭐고 당연히 토벌당할 걸 알고 있었지만, 다시 생각해 봐도 3분은 진짜 충격적이다.

"오~ 광화문의 신성(新星) 아니야?"

그때 누군가 내 어깨를 툭 치고는 옆에 앉는다. 나는 반가운 얼굴에 웃었다.

"대장님."

"전역했으면서 대장은 뭔 대장이냐? 동규 형이라고 불러."

"아니, 아무리 그래도 형은 좀……."

그는 군 시절 우리 부대를 지휘했던 신동규 중장이다. 내가 꼴통이던 시절 내가 육군 교도소에 안 가도록 여러 번 신경 써 주었던 그는 내가 지금도 데리고 다니는 체다를 선물한 이이기도 하다.

"쯧. 그나저나 전역하고 대체 뭘 하고 다닌 거냐? 인생 막장 되면 사업체에 취직이나 시켜 줄까 했더니 초월자라니…… 내가 뉴스 보고 얼마나 놀랐는지 알아?"

"사실 저도 놀랍기는 해요."

나야 아르데니아에서 보낸 시간 때문에 이미 수십 년도 더 전의 일이지만 제3자의 입장에서 내가 폐급 마나 적성으로 고통받던 건 고작 몇 년 전의 일일 뿐이다.

입문 능력자가 몇 년 만에 초월자가 된다?

'상식적으로 말이 안 되는 이야기지.'

내가 게임신의 사도로 지정되지 않았다면 아무리 특이 케이스가 많은 34지구라도 내 존재에 대한 온갖 의혹이 난무했을 것이다.

"뭐, 정말 엄청난 능력이긴 하더군. 관통 어빌리티를 건 영자력 탄으로도 비늘이나 겨우 떨굴 수 있었는데 고작 칼질로 머리를 찌그러트리다니……."

"아…… 그러고 보니 거기에 계셨죠? 곽재우(郭再祐)."

"그래. 내가……."

"여~ 동규 왔는가! 군인 한다고 용병 때려치우더니 여기가 어디라고! 심지어 개념 없이 술 한 병도 안 들고 왔어?"

버럭 하고 끼어드는 어르신의 말에 신동규 중장이 웃는다.

"크큭. 재현이 전투광 새끼 아직도 우주를 누비냐?"

"마! 나는 우주에서 싸우다 죽을 끼라."

신동규 중장이 그를 알아보는 어르신들과 반가이 인사를 나눈다.

'역시 중장님도 우주 용병이었군.'

하기야 많은 어르신들이 우주 용병 출신이다.

종말 프로젝트를 극복한 후에도 전투를 버릴 수 없었던 수많은 플레이어가 지구를 떠나 반평생을 우주에서 투쟁해 왔다.

[이번 사태에 모습을 드러낸 초월자분들이 많았죠?]

[네. 스카이 소프트의 대표로 이름 높으신 샤이닝 님과 대사령술사 하인델 님, 원로급 프라야나 초코 님도 있었지요. 그리고 무엇보다 평소에는 거의 모습을 드러내지 않으시던 용병 관리청장 천현일 님과 최근 들어 유명해지신 한재연 님께서도 활약하셨습니다!]

[하마터면 더 큰 피해가 날 수 있었는데 정말 다행입니다.]

디스플레이에서 다수의 초월자가 활약하는 모습이 재생된다. 고작 3분의 전투지만 그렇기에 더더욱 압도적인 광경.

[헉! 천현일 청장님이……!]

[피할 수 있었는데 몸으로 받아 내셨습니다. 그분이 아니었다면 지금의 공격으로 최소 500명의 사망자가 추가되었을……]

"뭘 그렇게 보고 있나?"

새로운 목소리에 다시 고개를 돌린다.

그곳에는 엔간해서는 사람 올려다볼 일이 없는 나조차 고개를 쳐들어야 하는 백곰이 서 있었다.

"청장님의 활약을 보고 있었지요."

"활약은 무슨. 한 대 맞고 한 대 때린 게 다였구먼."

피식 웃고 등 돌려 걷는 현일의 뒤를 따라간다. 애초에 그가 불러서 용병청에 온 것이기 때문이다.

대련 때문은 당연히 아니다.

'그럴 상황이 아니지.'

나는 슬쩍 디스플레이를 보았다.

인간형 몬스터가 휘두르는 공격을 몸으로 받아 내는 천현일 청장의 모습이 보인다.

[22레벨]

**횃불의 왕 달린**

'꺼지지 않는 저주의 불꽃…… 저게 도시 한가운데 떨어졌으면 그야말로 대참사가 났겠지.'

내가 상대했던 쉠곤은 굳이 말하자면 방어형으로 공격력이 약했지만, 저 달린이라는 몬스터는 다르다.

녀석은 극도로 치우친 공격형, 설명하자면 동귀어진 특화라고도 할 수 있다.

여기가 34지구이니 망정이지…… 자칫 목숨이 위험할 수도 있었다. 혹 살아남는다고 해도 긴 세월을 후유증으로 고생했어야 할 공격을 몸으로 받아 낸 것.

실제로 내 앞을 걷고 있는 현일의 상체에는 강대한 마력이 흐르는 붕대가 둘둘 감겨 있다.

'대중에게 사랑받을 만하군.'

"피곤하니 빨리 처리하지."

그때 현일이 책상 서랍을 뒤적뒤적하더니 반짝반짝 빛나는 손바닥 크기의 석판을 넘겨주었다.

"공로패다. 요번 몬스터 사태 때 예상하지 못했던 초월급 몬스터를 잡았다고 나온 거야."

아무래도 예지 시스템에 쉠곤이 걸리지 않은 모양이다.

이유야 뻔하다.

'내가 있었으니까.'

요번 몬스터 사태를 정부가 미리 인지할 수 있었던 건 원래대로라면 그들이 일으켰을 어마어마한 피해 때문이다.

반면 내가 있던 광화문 광장은 결과적으로 내게 막힐 것이기 때문에 초월자에 대응할 준비가 되지 않았다.

'예지의 세계란 오묘하군…… 먹통은 먹통 나름대로 쓸 방법이 있다는 건가.'

신기해하며 묻는다.

"여기에도 용병 등록증처럼 효과가 있나요?"

"뭐? 공로패에 효과는 뭔 효과야. 그냥 장식이지. 대신 상금이 있다."

그렇게 말하며 봉투 한 장을 준다.

슬쩍 열어 보니 고풍스럽게 쓰인 글자가 보인다.

**[금 백오십억 원.]**

"……."

나오려는 탄성을 가까스로 참아 냈지만 현일이 날카롭게 내 심리를 파악했다.

"아니, 뭐야. 너 왜 이렇게 좋아해? 너 설마 가난해?"

"어흠! 자, 잘 모르겠는데요."

"흠? 뭐지? 사치하지도 않는 거 같은데 초월자가 돈 부족할 일이 있나?"

잠시 이해가 안 간다는 듯 고개를 갸웃하던 현일이 이내 어깨를 으쓱였다.

"뭐 돈 좋아하면 나야 편하지. 용병 일 열심히 할 테니."

"네, 열심히 하겠습니다. 그리고 감사합니다. 피곤하실 텐데."

"너도 이제 용병이니 당연히 내가 할 일이지. 조만간 임무 배정될 테니 준비하고 있어."

현일의 배웅을 받으며 집무실을 나선다.

발걸음이 날아갈 듯 가볍다.

가슴이 터질 것 같다.

'와! 초월자 좋구먼!'

고작 3분을 싸웠을 뿐인데 150억이라니! 단발성이기는 해도 실로 엄청난 수익이 아닌가?

'크. 과금력을 늘려서 영웅급 군단을 만들어 볼까? 아니면 기가스 생산을 늘려서…….'

행복한 상상을 하다가 문득 용병관리청 로비에 설치되어 있는 디스플레이를 본다.

[몬스터 참사 희생자 정부 합동 추도식이 오는 3일에 진행될 예정입니다. 관계자분께서는……]

[순직한 군인과 경찰분들의……]

[왜 제 아들이 죽어야 했나요!? 대체 왜!]

"……."

부풀어 올랐던 가슴이 조금 가라앉는다.

'그래. 마냥 좋아할 상황은 아니지.'

이번 몬스터 사태는 여러모로 정상이 아니었다. 기껏해야 10레벨 즈음의 몬스터들만이 나오던 지금까지와 달리 초월자급 몬스터가 잔뜩 등장한 상황.

그나마 마경이나 다름없는 34지구였으니 3천 명의 사망자로 끝났지만 다른 행성, 다른 문명들은 과연 어떻게 되었을까?

'이 모든 게…… 나 때문일지도 모른단 말이지.'

너무나 공교로운 타이밍이다. 하필 내가 10년 동안 아르데니아에 있다가 복귀한 순간 몬스터들이 습격해 온 것이다.

만약 내가 아르데니아에서 시간을 보낼 때 현실의 시간은 멈춰도 [그녀]의 시간이 멈추지 않는 것이라면?

그래서 10년 동안 쌓이고 쌓인 몬스터들이 지구를 공격한 것이라면……

"집."

[지정 위치로 이동합니다.]

영자화 되어 있는 용병 등록증이 작동, 단번에 원룸으로 돌아온다. 나는 의자에 앉아 생각을 정리했다.

"당장 뭘 어쩔 수는 없어. 아직 확정도 아니고."

그러나 이 가설이 사실이라면 아르데니아에서의 시간에 대해 조심히 생각해 봐야 한다. 잠깐 머무는 정도야 상관없겠지만 지금처럼 장시간 머무는 건 별로 안 좋은 결과를 초래할 수 있기 때문이다.

"야옹!"

그런데 그때 책상 위로 뛰어오른 체다가 나직하게 운다. 알람이 있다는 말이다.

“뭐야?”

고개를 돌리니 녀석이 발라당 몸을 뒤집어 널찍한 뱃살을 드러낸다.

거기에는 이렇게 쓰여 있다.

**[주식N : 관심주의 주가가 급격히 하락했어요!]**

**[네메시스(↓10%)]**

순간 가슴이 철렁했다. 왜냐하면 내가 네메시스의 주식을 꽤 들고 있었기 때문이다. 물론 NPC를 소환하거나 게시판 패치를 하기 위한 수준이라 그리 많지는 않지만, 최근 네메시스 주식이 워낙 비싸 그것만 해도 억 단위의 돈이다.

“아니, 대체 뭔데. 몬스터 사태 관련한 부정 이슈가 터졌나?”

짐작 가는 일은 있다. 아닌 게 아니라 게임 속 몬스터들이 현실로 쳐들어오고 있지 않은가? 심지어 개중 상당수가 어느 게임의 어떤 몬스터인지 다 밝혀져 있는 상황.

‘솔직히 화풀이를 당해도 이상할 게 없지.’

이곳이 게임신이 지배하는 34지구가 아니었다면 몬스터 사태의 피해자들이 이미 옛날 옛적에 게임사를 불태우고 대표를 목 매달았을 것이다.

물론 그들을 추궁하고 해코지해 봐야 상황은 전혀 나아

지지 않겠지만 원래 인간은 그리 합리적이지 않은 동물.

그렇게 해서 얻을 게 하나 없다고 해도 단지 기분을 풀기 위해 능히 그러한 짓을 벌이는 존재다.

'바꿔 말해…… 다른 문명에서는 실제로 그런 일이 벌어지고 있을지도 모르고.'

현재 몬스터 사태에 얽힌 11종의 게임 중 34지구에서 발매한 게임은 3종이다.

내가 플레이하는 MMORPG 리벤지.

실력 갓겜, AOS 블레이드&매직.

로그 라이크류 하드코어 게임, 가장 어두운 절망.

나머지 8종의 게임 중 4종 또한 34지구에서 만들어지지는 않았지만, 서비스가 되거나, 적어도 그 정체는 알려진 게임이다.

'멀린이 제작한 카드 게임, 다크 스타가 그런 경우지.'

그리고 나머지 4종은 어디서 나온 것인지 정체도 모를 것들이다. 뭐 게임 스타일이야 다 뻔하지만 적어도 구체적인 정보는 없는 경우.

짐작이지만, 34지구 출신이 아닌 다른 문명권에서 저 게임들의 개발자나 서비스 업체는 온갖 수난을 당하고 있을 것이다.

"뭐 그래도 당장 중요한 건 네메시스지."

나는 체다의 배를 두들겨 인터넷을 뒤졌다.

몬스터 사태로 혼란의 도가니인 온갖 기사와 뉴스 사이

에서 내가 원하던 정보들이 보인다.

**[강철계, 15년간 봉인되어 있던 제1병기창 시동.]**

**[대한민국 정부 150경(京) 6천조(兆)의 정부 예치금 사용을 승인…….]**

**[미합중국 테라(Tera)급 전함 데스 스타(Death Star) 발족…… 크러쉬 헌터 대통령. 어르신들의 활약을 기대…….]**

온갖 뉴스, 오르고 떨어지는 주식. 정부의 발표와 사람들의 반응.

돈에 관심이 많은 사회인이며 인류 제국의 경영자인 나는 이내 사태를 파악할 수 있었다.

'자본이 이동하고 있다.'

게임 산업에 투자되었던 자본 중 상당수가 전쟁 관련 기업과 인물들에게로 옮겨졌다.

리벤지에 문제가 생긴 것이 아니다.

세계 자본의 판 자체가 새로이 짜이고 있었다.

'너무나 일사불란하다. 이건 개개인이 움직여 나올 수 있는 결과가 아니야.'

마치 내가 골드 인플레이션을 잡기 위해 NPC를 소환해 아이템들을 풀거나 플레이어들의 직업과 스킬북 등을 제한적으로 풀어 밸런싱을 맞추던 것과 비슷하다.

명백하게 느껴지는 [위]의 의지.

즉, 이 모든 것은.

'전쟁 준비.'

지금껏 34지구는 평화로웠다.

34지구의 역량은 너무나도 강해서 몬스터 사태라는 이 우주적인 재앙조차 남의 일에 불과했기 때문이다. 도시 한가운데 전투 오우거가 등장해도 일반 시민들한테 몰매를 얻어맞고 죽는데 무슨 사건 사고가 벌어지겠는가?

그러나 그런 34지구에서조차…… 22레벨의 초월급 몬스터 11체의 습격은 충격이었다.

인터넷을 돌아다니다 보면 장난스러운 글들이 보인다.

**[아! 신적인 초월자 지구에서는 3분 요리?]**

**[여기 초월자 단 11마리!]**

**[초월급 몬스터 : 아니 여기가 어디여 ㅅㅂ]**

초월급 몬스터를 비웃는다. 그뿐이 아니다.

**[초월자 한 명 없이 초월급 순삭하는 기가스 부대.JPG]**

**[전 우주가 경악하는 34지구의 위엄.]**

**[군대가 초월자를 쉽게 상대할 수 있는 11가지 이유.]**

**[초코님 너무 귀여워 ㅠㅠ 우리 집에서 키우면 안될까요?]**

**└초코(재산 3000조) : 집사야 가서 푸와그라 좀 챙겨와라.**

[신규 초월자 한재연이 광속으로 내달린 사연은?]

평소에 보기 힘들던 지구뽕이 난무하고 초월자들을 칭송하고 칭찬한다.

역설적이지만, 이는 오히려 사람들이 위기감을 느끼기 때문에 벌어지는 일이다. 평화롭고 여유로운 34지구의 기본적인 풍조란 모든 것에 쿨한 쪽에 가까웠으니까.

'솔직히 너무 잘 막은 거지.'

그렇다. 이번 초월자들의 공격은 누가 트집 잡기도 어려울 정도로 완벽히 방어했다. 바꿔 말하면 그렇게 막아냈음에도 수천 명이 죽은 것이다.

만약 초월자들이 방어에 적극적으로 호응해 주지 않았다면?

적들의 공격 위치를 제대로 예지해 내지 못했다면?

전투가 3분이 아니라 10분이나 20분에 걸쳐 이루어졌다면?

'만약에 그랬다면…… 수천 명이 아니라 수십만 명도 죽을 수 있었다.'

평화에 익숙해져 있던 34지구의 사람들은 그 사실에 충격과 공포를 느꼈고 그것은 고스란히 [여론]이 되었다. 심지어 [위]에서 거기에 앞장서기까지 하니, 이미 터질 듯 응축되어 있던 34지구의 역량이 방향성을 가지기까지 얼마 걸리지도 않는다.

“이게 좋은 일인지 나쁜 일인지 감이 안 오네. 뭔가 대대적인 규모로 벌어질 것 같기는 한데.”

그래도 당장 중요한 건 주식.

이미 10%나 떨어져 천만 원도 넘는 손해를 보았지만…… 어쩌면 이건 기회일지도 모른다.

좋게 생각하면 할인 찬스가 아니던가?

계속 잘나가던 리벤지가 이렇게 급락하는 건 극히 드문 일이다.

**네메시스 - 11,133,110원(-1,253,200원)↓**

10%가 넘게 떨어졌지만, 여전히 비싸다.

“아…… 122만 원일 때 잔뜩 샀으면 좋았을 텐데.”

그러나 안타깝게도 그때는 내가 돈이 없었다.

요번에 고작 3분 싸운 거로 번 150억이 그때 있었으면 리벤지 주식 1만 주도 샀을 텐데……

“그래. 지금은 돈이나 더 벌어 두는 게 맞겠지…… 그런데 설마 웹소설 조회 수도 줄지는 않겠지?”

불안해하면서도 자리에 앉아 작업을 시작한다.

10년의 세월 동안 쌓이고 쌓인 원고의 비축분은 실로 어마어마해서 한 번에 풀었다가는 오히려 문제가 생길 정도였기에, 나는 한 작품을 잔뜩 올리기보다 여러 작품을 동시 연재하는 식으로 하루 종일 타이핑을 이어 나갔다.

“로그인.”

“로그아웃.”

하루, 이틀, 사흘, 나흘.

나는 계속 타이핑을 이어 나갔다. 물론 온종일 필사만 한 것은 아니다.

**↳지존법사 : 킬리씨 무한탑 3층에 층주 떴습니다!**

**↳킬리언스 : 바로 달려가겠습니다!**

**↳아레스(길드 마스터) : 재연 씨 바쁘실 텐데 쟁에 껴도 괜찮겠어요?**

**↳킬리언스 : 틈틈이 하는 거니 괜찮습니다!**

**↳아레스(길드 마스터) : 허허. 초월자가 끼는 쟁이라니 가슴이 웅장해지는군요.**

길드의 [형님]들은 더 이상 나를 동생으로 여기지 않게 되었다. 하기야 아는 동생이 국회의원 배지만 달고 와도 부담스러운 게 사람인데 아예 존재를 초월한 무언가가 되었으니 부담스럽지 않으면 이상한 일이리라.

그러나 나는 굳이 게임 속 인연을 끊지 않았다. 이 관계는 나에게도 도움되기 때문이다.

**↳아레스(길드 마스터) : 저기 재연씨 부담스러울 수도 있는데 국장이 자꾸 부탁해서……**

**↳킬리언스 : 아 방송 이야기인가요? 제가 번호를 알려 드릴 테니 그걸 전해 주세요.**

**↳아레스(길드 마스터) : 정말로? 오! 고마워요!**

**↳지존법사 : 아니 형님 ㅋㅋㅋㅋㅋ 청탁하는 거 봐 ㅋㅋㅋㅋㅋ**

**↳킬리언스 : 청탁은요 연결이죠 연결. 페이만 잘 맞춰 주시면 상관없습니다 ^^!**

**↳아레스(길드 마스터) : 하하! 그 친구가 그리 박하지는 않으니 기대해도 될 겁니다.**

슬금슬금 연락처를 흘린다. 연락처를 흘린다고 개나 소나 연락할 거라는 걱정은 하지 않는다. 아무리 34지구가 마경이어도 초월자가 우스운 존재는 절대 아니기 때문이다.

상대가 장관급 권력자만 되어도 연락하는 것조차 부담스러운데, 무력을 가진 초월자라면 더 말할 필요도 없었다.

두두두두.

두두두두두두!

24시간 게임을 돌리며 타이핑을 이어 나간다. 이제는 익숙해진 필사 속도는 하루에 40여 권!

그러나 어느 순간.

두두두…… 콰득!

"아."

타이핑을 버티지 못한 키보드가 기어코 박살 나고 말았다.

나름대로 고르고 고른 물건이지만, 하루 40권을 매일매일 타이핑하는 미친 일정을 견디지 못한 듯했다.

"부서진 김에…… 잠시 스톱해야겠다."

지난 4일간의 집필로 150권이 넘는 비축분을 쌓아 두었다. 물론 내게는 그렇게 쌓은 비축분보다 훨씬 더 많은 원고가 있었지만, 웹소설이라는 게 원고만 있다고 무한정으로 캐시를 만들어 내는 요술 방망이가 아니다.

'시장이 상품을 소화할 시간이 필요해!'

연재가 느릴 때는 독자들이 연참을 외치기 마련이고 연재 속도를 늘리면 당연히 매출도 늘어나게 된다.

그러나 연재 속도를 무한히 늘린다고 매출도 무한히 늘어나겠는가?

아니다.

매일 한 권씩만 연재해도, 언젠가 독자는 따라오지 못할 날이 올 터였다.

무엇보다 독자는 읽기 위해 결제하는 것이니, 당연히 읽을 수 있는 선에서만 구매한다.

독자도 다 사람이고 개인 생활이 있는데 매일같이 책을 몇 권씩이나 읽을 수 있을 리가.

그게 가능한 인간은 정말 한 줌의 한 줌에 불과하겠지.

"소설 말고 다른 방식으로도 벌어야 해."

나는 주식 앱을 켜 네메시스를 확인했다.

**네메시스 - 9,886,330원(+11,200원)↑**

고점 대비 15% 넘게 떨어졌던 네메시스의 주가는 하강을 멈추고 서서히 반등하고 있었다.

네메시스에 큰 악재가 있던 것도 아니니 사실 이만큼이면 많이 떨어진 것이다.

"일단…… 100억 원치만 사자. 체다."

내 부름에 체다가 작게 울고는 고개를 나와 눈을 맞춘다.

홍채 확인.

할짝!

손을 내밀자 손가락을 핥는다.

DNA 확인.

"야옹!"

100억의 자금이 주식으로 바뀐다. 이로써 내가 가진 네메시스의 주식은 원래 가지고 있던 것까지 더해 1,050주가 되었다. 과거에 내가 얼마 되지도 않는 돈으로 2,000주를 샀던 걸 생각하면 가슴이 아프지만…… 그동안 리벤지의 위상이 달라졌으니 어쩔 수 없다.

'이걸로 어디까지 할 수 있는지는 차차 알아보기로 하고……'

일단 중요한 것은.

돈을 더 버는 것이다.

나는 체다를 이용해 전화를 돌렸다.

먼저, 영화감독 앨런.

[오! 드디어 시간이 난 거야? 자리는 물론 있지! 지금 준비와 협의가 거의 끝나가네! 2주 후면 시작할 수 있을 거야!]

역시나 당장 시작할 수 없었지만 예상하던 문제.

다음은 용병 관리청이다.

[임무 배정이 시작되었습니다. 현재 지원하실 수 있는 임무는 17건입니다. 관련 정보를 보내드릴 테니…….]

드디어 시작된 용병업.

그러나 끝이 아니다.

[네? 방송이요!? 불감청(不敢請)이지만 고소원(固所願)이죠! 재연 씨라면 내일 당장이라도 가능합니다! 네? 최대한 비싼값에 많은 방송에 출연하고 싶다고요? 참, 양아치 같은 소리지만…… 당연히 가능합니다!]

신나하는 나태석 PD의 목소리를 들으며 스케줄을 정리한다.

"아…… 매니저를 둬야 하나?"

그런 생각이 문득 들었지만, 월급이 아깝다.

내가 어떻게든 해 보고 그 돈으로 주식 1주를 더 사는 게 이득이리라.

“그리고 마지막으로 광고에 대해서…….”

“야옹!”

그때 체다가 갑자기 울었다.

“뭐야? 벌써 방송국에서 전화가 왔나?”

의아해하며 체다를 본다. 녀석의 이마 위로 글자가 떠올랐는데, 뜻밖에도 상대는 방송국 사람이 아니었다.

아니 정확히 말하면 방송국 사람이라고 할 수 있을지도 모른다.

**[플라워.]**

크로매틱 드래곤의 머리 중 하나인 그린 드래곤의 이름이 거기에 있었다.

“아니, 갑자기 무슨 일…….”

“야옹!”

체다가 또 울었다. 연락이 별로 안 올 거라는 예상이 무색할 지경. 다시 이름을 확인한다.

이번에는 확실히 방송국 사람이 아니다.

**[배사랑.]**

나는 어쩔까 잠시 고민하다가 먼저 온 연락을 받기로 했다.

"체다. 플라워랑 연결해 줘."

"플라워 님과 연결됩니다…… 재연 씨?"

"네, 플라워. 오랜만이군요."

"재연 씨, 정말…… 전화 한 번도 안 하시네요……."

체다의 목소리가 스산하다. 그 건너편에 있는 플라워의 목소리가 그렇기 때문일 것이다.

어찌 보면 섬뜩한 상황이지만 나로서는 신선했다. 요 10년간 나한테 이런 식으로 말하는 이가 없었기 때문이다.

"플라워 님. 지금 짜증 내시는 건가요?"

"하…… 어? 네? 아, 아니요…… 그런 건 아닌데."

깜짝 놀라 버벅이는 플라워에게 차분히 설명한다.

"여러모로 바빴습니다. 해야 할 일이 태산이기도 했고요. 그런데 플라워는 괜찮으신 겁니까? 매니저의 행동도 그렇고 지금 여러 가지로 복잡하게 얽혀 있는 듯한데."

크로매틱 드래곤이라는 그녀의 정체는 내가 알 수 없는 정보이기 때문에 그녀는 스스로를 '특별한 혈통을 가진 어린 드래곤'이라고 소개했다.

'그녀의 매니저 역할을 하던 쉐도우 드래곤도 그렇게 알고 있는 분위기였지.'

물론 그녀의 정체를 세상 모든 이가 모르지는 않을 것이다. 드래고니아 최고위 용종들이 알고 있을 테고 그녀가 34지구에 온 걸 보아 게임 마스터 관대하 역시 당연히 알고 있겠지.

그러나 바꿔 말하면 딱 그 정도.

그녀의 정체를 아는 이가 많을 리는 절대 없다. 노블레스 최고 원로이자 상급 신에 가까운 크로매틱 드래곤이 아이돌 활동을 하고 있다는 건 그야말로 우주적인 스캔들이기 때문이다. 평범한 사람들이었다면 그걸 들킨다고 뭔 큰일이야 생기겠냐 생각하겠지만, 고위 용족들은 그 누구보다 체면에 목숨 거는 이들이 아니던가?

"아, 음…… 전에도 말씀드렸지만 드래고니아에서 저는 아직 미성년자예요. 그리고 해츨링(hatchling)은 많은 부분에서 자유를 제한당하지요."

"보호 받는다고 들었는데요."

"같은 의미예요."

해츨링은 난생동물, 특히 갓 부화한 파충류의 새끼를 가리키는 말이다.

지성종. 아니, 지성종을 넘어서는 초월종인 용종의 새끼를 가리키는 단어로는 적합하지 않은 느낌이지만 당장 용족들 스스로가 해츨링이라고 부르는데 남들이 뭐라고 하겠는가?

무엇보다…… 용족들 스스로가 사용하는 이 멸칭(蔑稱)에 가까운 단어는 해츨링에 대한 그들의 인식을 드러낸다.

플라워가 답답하다는 듯 말한다.

"공식적인 활동이 거의 불가능해요! 사랑하는 것도, 여행하는 것도 안 되죠. 무려 천 년 동안!"

듣고 보니 답답할 것 같기는 하다. 초월종인 드래곤은, 태어난 지 얼마 안 되어 말문이 트일 정도로 지능이 뛰어나다. 즉, 어린 나이에 벌써 지성(知性)을 얻는다는 말인데, 그 상태에서 자유를 통제당한다는 말이 아닌가?

그것도 무려 1,000년 동안.

"확실히 엄청난 억압이긴 하네요. 여태 별말이 없던 게 신기할 지경이에요."

어리다고 정치적인 활동을 못하는 게 아니다. 하물며 인간조차도 중, 고딩들이 모여 시위도 하고 성명서도 발표하고 하는데 수백 살짜리 해츨링들은 왜 아무런 행동이 없을까?

내 궁금증을 이해한다는 듯, 체다의 입을 빌어 플라워가 말한다.

"해츨링들은 잠을 많이 자는 편이니까요. 용종의 육신은 잠을 잘 때 가장 잘 성장하거든요. 깨어나 있는 시간도 대체로 마법 수련에 매진하죠."

"따분해하지는 않나요?"

"별로 그런 일은 없어요. 마법의 습득은 혈통을 타고 내려오는 본능 같은 거라 최고의 놀이이기도 하니까요."

즉, 다른 헤츨링들은 별 불만이 없다는 말.

"하지만 플라워는 다르다는 말이군요."

"네. 아시다시피 저는 이미 익힐 만큼 익혔으니까요."

크로매틱 드래곤의 일부라 할 수 있는 그녀는 다른 대마법사들이 감탄할 정도의 마법적인 역량을 이미 지니고 있다. 게다가 그 태생이 태생이니만큼 잠을 잘 필요도 별로 없을 것이다. 그녀는 드래곤으로서 '성장'하지 않으니까.

즉.

'쌩으로 1,000년을 버텨야 하는데 그러지 못하겠다. 이거군.'

대충 상황을 파악한 나는 생각을 정리한 뒤 물었다.

"즉, 나이대보다 성숙한 게 문제가 되었다는 말이군요."

플라워. 그리고 그녀가 포함된 F·D는 엔간한 초월자 뺨을 후려치는 역량을 가지고 있지만 그럼에도 표면적으로는 미성년자다.

450살은 인간의 입장에서는 살아있는 역사에 가깝지만, 드래곤에게는 미취학 아동이나 다름없는 나이였다.

스캔들이 나는 상황을 용납할 리 없다.

'사실 이렇게 드래고니아를 나와 돌아다니는 상황 자체가 말이 안 되지.'

헤츨링에 대한 드래곤들의 과보호는 우주적으로 유명하다. 아마 그녀가 이렇게 나와 돌아다닐 수 있는 것은 그녀의 정체를 알고 있는 드래곤 고위층을 협박한 결과가 아닐까?

'사실은 미성년자가 아니면 될 문제지만.'

그러나 그렇다고 크로매틱 드래곤이라는 정체를 밝힌다?

미성년자 스캔들보다 상황이 훨씬 더 커질 것이다.

"아, 그…… 네. 문제죠……."

"안타깝게 되었습니다."

"아, 그, 저…… 안타깝다…… 로 끝인가요?"

"……?"

영문을 모를 소리에 당황했다. 뭔가 바라는 게 있던 것일까?

플라워는 잠시간 아무런 말이 없었다.

소리가 아예 끊긴 것이 통화를 잠시 차단한 모양.

그리고 잠시 후.

"아, 그 재연 씨. 밥 한 번 사 주시기로 했었죠?"

"아, 네. 물론이죠. 하지만 지금 둘이 만나면……."

내 말에 플라워가 빠르게 말을 잇는다.

"둘은 아니고 다른 F·D도 같이 가게 될 것 같은데……."

그녀의 말에 멈칫한다.

'아니, 한 명 사 주기로 한 게 다섯 명으로 늘어난다고? 심지어 고급 식당으로 가야 할 텐데…….'

"저기, 괜찮을까요?"

조심스러운 목소리. 나는 가슴 속 깊은 곳에서 좀생이 기질이 끓어오르는 것을 느꼈지만 초월의 깨달음으로 내리누를 수 있었다.

'사회생활…… 사회생활…….'

그렇게 되뇌고 대답한다.

"물론이죠. 언제가 좋을까요?"

"오늘 저녁에 뵙기로 해요. 정확히는……."

나는 그렇게 플라워와 약속을 잡고 전화를 끊었다.

내가 사 주는 밥이지만 상황상 식당은 그녀가 골랐다.

코스 요리였는데 1인당 500만 원이다.

"아, 미친…… 뭔 밥값이 이리 비싸?"

욕이 절로 나온다. 예약 인원이 6명이니 밥값만 3,000만 원.

문제는 그녀가 나를 골탕 먹이려 한다거나 특별히 사치를 부린 게 아니라 그냥 '적당히 격식 있는 자리'라고 생각한 가격대가 이 정도인 것이다.

"초월적이구먼……."

가슴 쓰려 하며 식당을 예약한 후 부재중 통화가 되어 있는 사랑에게 전화를 걸었다.

통화음이 울리기도 전에 받는다.

"아, 드디어! 아니, 전화 왜 이렇게 안 받아요?"

"바빠서요. 무슨 일이십니까?"

내 물음에 사랑이 바로 본론으로 들어간다.

"일이에요. 요번에 1급 심도를 특급 심도로 업그레이드하고 대단위 업데이트를 하기로 했거든요. 거기에 재연 씨의 도움이 필요해요."

"……이런 상황에 대단위 업데이트라고요?"

"이런 상황이기 때문에 대단위 업데이트를 해야 해요. 살아남아야 하니까!"

사랑이 설명을 시작했다.

"지금 현존하는 대부분의 게임사 주식이 폭락 중이에요. 34지구가 일종의 전시 체제에 들어갔기 때문이지요."

"밖에서 보기에는 아무 차이가 없습니다만."

실제로 도로의 모습은 평화롭다. 사람들은 언제나와 똑같이 광화문 광장에서 휴식을 취하고 영화를 보고 담소를 나누고 있는 상황.

그러나 사랑은 단언했다.

"일상생활만 똑같을 뿐이죠. 모든 게 변하고 있어요. 주류(主流)가 변했으니 곧 그 변화가 사방으로 퍼질 겁니다."

"주류라."

게임사들의 주식이 빠져나간 게 바로 그런 영향이라는 말.

하지만 이렇게 되면 다른 의문이 든다.

"그럼 대규모 업데이트를 해도 마찬가지 아닙니까?"

"그게 그렇지가 않아요. 다른 게임사가 다 망해 가는데 블레이드&매직의 코리안 소프트와 대전쟁의 레온하르트 소프트. 그리고 리얼 스테이지의 스카이 소프트는 오히려 주식이 올라가고 있거든요."

"블매. 대전쟁. 리얼 스테이지……."

일반적인 게임과는 조금 다른 느낌의 게임들이다.

말하자면 실력 겜.

게임적 요소를 거의 없애 버린, 거의 시뮬레이션에 가까운 게임들.

이 게임들은 리벤지가 능력자들에게도 통하는 가상현실을 구현한 후에도 타격을 거의 받지 않았다. 말했다시피 시뮬레이션에 가까운 게임이기 때문이다.

애초에, 훈련용 시뮬레이션은 그리 완벽하게 현실감을 줄 필요가 없다. 목표가 몰입이 아닌 훈련이기 때문이다.

내가 예전 차크라를 수련하는 데 썼던 시뮬레이션 소프트웨어, [차크라 개방과 수련]과 마찬가지다.

"잠깐만요. 그럼 심도를 높인다는 건……."

"네. 저희 리벤지도 실력 겜 이미지를 가져갑니다."

"……."

솔직히 님 미침? 이라고 물으려다 참았다.

아니, 이제 와서 리벤지가 실력 겜 이미지를 어떻게 가져간단 말인가? 리벤지가 미친 과금 게임이라는 건 내가 알고 사랑이 알고 온 세상이 다 아는 이야기다.

"아, 그, 평소 리벤지가 추구하는 방향하고는 많이 틀어지지 않겠습니까?"

"네. 그래서 직원들이 계속 건의해도 뭉개고 있던 의견이었죠."

뜻밖의 말에 머리가 멍해진다.

"뭉개고 있었다고요?"

"네. 저는 실력으로 결정되는 게임을 원하지 않거든요. 과금으로 결정되는 게임을 원하지."

"……."

너무 솔직해서 두려울 정도다. 이쯤 되어야 리벤지 같은 게임을 만드는구나 하는 생각이 들었다.

"뭐 그래도 만약을 대비한 보험 정도는 마련해 뒀었죠. 인생 어떻게 될지 모르니까요."

그녀의 말에 떠오르는 게 있었다.

"……아바타와 서번트?"

"정답이에요."

리벤지에 가상현실 시스템이 추가될 때, 네메시스는 플레이어들이 자신이 지금껏 키우던 캐릭터에 들어가게 하는 대신 캐릭터를 두 개로 분리하는 방식을 택했다.

플레이어가 직접 깃들어 가상 현실을 체험하는 아바타(avatar) 캐릭터.

그리고 기존의 캐릭터로 지금까지처럼 자동으로 사냥하고 플레이하는 서번트(servant) 캐릭터.

지금까지는 아바타 캐릭터는 도시 안의 놀이기구를 이용하거나, 관광하거나, 혹은 특별한 서비스를 받는 데에만 사용되었지만…… 이제 그 캐릭터를 현실의 [실력]에 영향받는 캐릭터로 만들겠다는 이야기다.

그리고 그렇게 되면?

그 캐릭터들은 리벤지에서 매일매일 벌어지는 [전쟁]에 참여하게 될 것이다.

"반발은 좀 있겠지만…… 나쁘지 않군요."

"그렇죠? 기술자가 말하길 기술 적용 실험에 초월자가 있어야 한다던데 재연 씨가 딱 떠오르더라고요. 오늘 저녁에 오실 수 있나요?"

"아, 죄송하지만 오늘 저녁에 약속이 있어서."

내 거부에 사랑이 깜짝 놀란다.

"네? 재연 씨 약속 같은 거 없지 않나요? 매일 집에만 있다고 하던데……."

너무나 명확한 팩트에 헛웃음 지으며 답한다.

"F·D 멤버들과 약속이 있어서요."

"……."

갑자기 체다가 입을 다문다.

"왜 그러시죠?"

"아, 그, 어. 플라워라는 분이 있는 파이브 드래곤 맞죠?"

"네."

"네……."

잠시 말을 끌던 사랑이 말한다.

"그, 약속이 있다니 어쩔 수 없죠."

"그럼 내일 찾아가면 될까요?"

"아, 네."

통화를 마치고 일정을 정리한다.

"이거 잘못하면 일정 꼬이겠는데…… 잠은 아르데니아에서 가서 자면서 빡빡하게 굴려야겠네."

그러나 일단은.

인당 500만 원짜리 저녁 식사 먼저다.

* * *

"……."

사랑은 통화를 끊고 뭐라 형언할 수 없는 기분에 잠시 멍하니 있었다.

"어, 잠깐. 잠깐만."

재연과의 통화에서 그는 가슴이 덜컥 내려앉았다. 또한 화가 나기도 했다.

그러나 그럼에도 재연에게 신경질을 부릴 수는 없었다.

당연한 일이다. 그와 그녀는 아무 관계도 아니었기 때문이다.

"어? 이 기분 뭐지……?"

그녀라고 연애 경험이 전혀 없는 것은 아니다. 세계 제일의 부호인 배재석 회장의 막내딸이라는 눈부신 배경. 아름다운 외모. 천재적인 재능에 이끌려 접근하던 남자가 얼마나 많았던가?

그러나 어떤 때에도 이런 적은 없었다.

그녀를 도발하기 위해 꾸며 내는 게 아니라 정말 인간 대 인간으로서 그녀를 대하는 남성.

심지어 라이벌이라고 할 수 있는 상대가.

"드래곤…… 이게 뭐야. 꿈인가?"

한편, 끊겨진 통화 너머에서 망연자실해하는 건 그녀뿐이 아니었다.

"야! 이 등신 머저리 년아 거기에서 버벅이면 어떻게 해! 아오! 속 터져!"

레드 드래곤, 루비가 바락바락 소리를 지른다. 가슴을 쿵쿵 치는 앙증맞은 손짓에 공간이 웡웡 울린다.

그 모습을 한심하게 보며 블루 드래곤, 사파이어가 입을 열었다.

"아니 플라워…… 고작 인간 따위한테 끌리는 것도 기가 차지만 대체 네가 뭐가 부족해서 을의 연애를 하고 있어…… 하, 이 답답이."

그들의 한탄을 가만히 듣고 있던 블랙 드래곤, 흑요는 손톱에 매니큐어를 바르며 말했다.

"내가 보기엔 말이야."

"아, 흑요. 내가 그렇게 잘못한 거야? 난 그냥……."

"저 남자. 으마으마한 쌍놈이야."

"……."

"훗. 우리 순진한 플라워를 이렇게 대한다 이거지? 오늘 아주 혼쭐을 내 줘야겠어……."

"아 제발 얘들아. 그런 자리 아니야……."

울상을 짓는 플라워.

그러나 그러거나 말거나, 파이브 드래곤. 오두룡의 모든 머리는 전의(戰意)를 단단히 한 채 기다리고 있었다.

모든 것은 저녁 식사 시간에 결정될 것이다.

"아, 당연한 말이지만."

여태껏 조용히 있던 화이트 드래곤 스노우가 말한다.

"매니저 오빠는 오지 마세요."

그녀의 말에 쉐도우 드래곤 어둑서니가 깜짝 놀라 항의한다.

"뭐!? 아이돌이 남자랑 밥을 먹으러 가는데 매니저를 빼고 간다는 게 말이 돼?"

"하아…… 적당히 해요 매니저 오빠. 아무리 미성년자라지만, 저희는 전부 초월자예요. 게다가 지금 가는 게 무슨 데이트하러 가는 거로 보여요?"

"하지만……."

당혹스러워하는 어둑서니의 말을 루비가 끊는다.

"하지만이고 저지만이고 오지 말라면 오지 마."

"어둑서니 오빠 눈치 챙겨~."

"아오. 저 오빠는 매니저 역할에 왜 이렇게 과몰입함? 적당히 해 적당히!"

다다다 쏘아붙이는 다섯 여인의 공세에 어둑서니는 결

국 굴복할 수밖에 없었다.

아무리 미성년자라 해도 F · D는 전원이 초월자.

사실 초월자가 사생활 통제를 받는 것 자체가 말이 안 되는 일이다. 하위 문명에서는 신으로 추앙받는 것이 바로 초월자라는 존재가 아니던가?

이 대화 자체가 어둑서니가 그녀들의 아이돌 생활에 너무나 진심이기에 벌어지는 해프닝일 뿐이다.

'게다가…… 문제는 더 있지.'

어둑서니는 드래고니안에서의 대화를 떠올렸다.

[너, 아이돌에 관심 많았지? 다섯 쌍둥이가 아이돌을 한다고 하니 매니저를 맡아라.]

[가급적 하고 싶다는 건 다 하게 해. 경비는 원로원에 무제한으로 요청해도 된다.]

[뭐, 정체? 그런 건 없어! 평범하고 귀여운 다섯 쌍둥이지, 정체는 무슨 정체!]

[다시 말한다. 하고 싶다는 건 다 해 줘!]

F · D는 원로원의 절대적인 후원을 받고 있었다. 심지어 루비가 기가스를 타고 싶다고 했을 때에는 당일에 성(星)급 기가스가 지원되는 미친 경우도 있었다.

'설마 진짜 용신님의 직계 혈통 뭐 그런 건가? 하긴 450살의 나이로 이만한 마법 역량은 말이 안 되긴 하는

데…… 아니 그런데 용신 직계 혈통이면 금룡이나 쉐도우 드래곤. 하다못해 용신족이어야 하는 거 아닌가? 평범한 색채룡이신 용신님은 없으신데.'

"그나저나."

생각에 잠겨 있던 어둑서니에게 사파이어가 묻는다.

"그 재연이라는 남자. 드래곤 러버(Dragon Lover)라거나 한 건 아니죠?"

그녀의 말에 어둑서니는 고개를 흔들었다.

"그런 건 전혀 아니었어. 평범한 인간 초월자지."

드래곤 러버(Dragon Lover)란 드래곤을 홀리는 영혼의 기질이다. 외향에 그리 신경 쓰지 않는 드래곤이 매력을 느끼는 영웅. 용사의 자질에 더해 그 성정을 더 아름답게 빛내는 영혼의 재능이 겹쳐져야 탄생하는 존재.

이런 기질, 혹은 재능을 타고난 존재는 세상 모든 용종에게 사랑받게 되는데, 이들은 과거로부터 드래고니안의 사회 문제였다.

'왜냐하면, 드래곤 러버는 필연적으로 용족들에게 경멸받는 반룡(半龍)을 만들어 내니까.'

다행히 드래곤 러버는 꽤 명확한 존재감을 가지고 있었고, 이미 재연과 마주해 본 적이 있는 어둑서니는 그가 용사나 영웅에 걸맞은 기질은 가지고 있어도 드래곤 러버의 영혼을 가지고 있지 않다는 사실을 알고 있었다.

"하기야 드래곤 러버였으면 저번 방송 때 몰라봤을 리

없지. 슬쩍 봐도 알 정도인데.”

“응? 드래곤 러버를 본 적이 있는 거니? 하지만 그럴 틈이 있을 리 없…….”

흑요가 의문을 표하는 어둑서니의 말을 끊는다.

“아, 시간이다. 우리 갈 테니까, 오빠는 이만 퇴근해. 내일 부를게.”

“하지만…….”

“퇴근하라면 좀 해!”

“아오~ 왜 이렇게 열심히 해, 진짜!”

결국 F · D는 어둑서니를 떨쳐 내고 식당으로 이동했다.

예약한 식당은 고급스러운 분위기의 단독 주택이다. 하루에 오직 1팀의 손님만 받는 이곳은 34지구에 존재하는 식당 중에서도 손에 꼽히는 명성을 지닌 장소.

만약 손님이 초월자 다섯으로 이루어진 F · D가 아니었다면 이렇게 급하게 예약을 잡는 게 불가능했을 장소다.

실제로 최상급 정령사이자 쿠킹 학파의 학파장 ‘온종일’은 휴가를 반납하고 오늘의 자리를 준비했다.

“그 유명한 F · D분들을 접대하게 되어 영광입니다. 온종일 쉐프입니다.”

“난데없는 예약이었는데 받아 주셔서 감사해요. 저번에 왔을 때 너무 맛있게 먹어서 멤버들도 데려오게 되었어요.”

플라워는 자꾸 치밀어 오르는 긴장을 누르고 부드럽게 웃었다.

한편 종일은 기묘한 느낌을 받았다.

'뭐지? 멤버들의 분위기가…….'

그가 운영하는 식당. [온종일 행복해]는 VVIP들이 애용하는 최고급 식당이다.

아무리 돈이 많다고 해도 1인 500만 원의 식당은 특별한 날, 특별한 사람과 오기 마련이니 찾아오는 손님들의 분위기는 대체로 온화하기 마련.

그러나 F · D의 분위기는 달랐다.

'마치 전쟁을 앞둔 기사 같은…….'

조용히 입을 다물고 있는 F · D 멤버들의 분위기는 살벌하다. 묘하게 칼날 위를 걷는 듯한 그 기세는 아무리 봐도 식당이라는 장소에 어울리지 않는 것.

그들과 달리 울상을 짓고 있던 플라워가 종일을 보고 말했다.

"시, 식사 준비해 주세요. 그리고 긴밀한 대화를 할 예정이라 코스 요리 설명은 생략해 주셔도 돼요."

"네, 플라워 양."

종일이 물러나고 F · D가 집으로 들어섰다. 안으로 들어오자 가운데에 자리해 식당 내부를 길게 가로지르는 중정이 제일 먼저 시선을 끈다. 중정에는 연못이 자리했는데, 연못 주위에 심어진 나무와 풀들이 서로 조화를 이루어, 고급스러운 정원을 실내로 들여온 느낌을 주었다.

중정을 중심으로 요리를 만드는 곳과 식사를 하는 곳이 구분되어 있어, 벽이나 문으로 프라이빗함을 내는 룸과 사뭇 다른 느낌을 주고 있었다.

다섯 명이 모두 들어서자, 미리 대기하고 있던 직원들이 인사와 함께 안쪽으로 안내한다.

그들이 안내받은 곳에는 커다란 테이블이 마련되어 있었고, 서울의 야경이 파노라마처럼 펼쳐져 있다.

"행복한 식사 시간 되십시오."

직원이 정중하게 인사를 하고, 왔던 길을 되돌아갔다. 그러자 중정을 구성하고 있는 연못, 나무, 풀, 돌들이 살아 있는 것처럼 움직이더니, 길을 숨긴다.

"분위기가 너무 평화롭네."

쩌적!

스노우의 한숨이 끝나기 무섭게 야경이 사라지고, 새하얗다 못해 코끝이 시릴 것 같은 꽝꽝 언 호수, 그리고 저 멀리로는 하얀 눈으로 뒤덮인 숲이 나타난다. 그러고는 화룡점정으로 바람과 함께 휘몰아치는 눈보라까지.

"이 정도는 되어야지."

그제야 스노우가 만족스럽다는 듯 의자에 앉자, 플라워가 소심하게 중얼거린다.

"그러지 마."

우우웅-

다시금 마력광이 발하자 꽁꽁 언 호수는 사라지고 파릇파릇한 잔디와 연핑크의 대리석이 깔린 정원이 나타난다. 그리고 그 정원 가운데에는 네모반듯한 모양으로 잽싸게 바뀐 분수대가 자리했고, 그 너머 하늘에는 아름다운 붉은 노을이 깔리고 있었다.

"봐라. 봐라. 이거. 분위기 봐라."

흑요가 못 마땅한 듯 눈을 흘겼지만, 플라워는 모르는 척 노을을 바라보며 의자에 앉았다.

모두 자리에 앉자 기다렸다는 듯 테이블 위로 향긋한 꽃 향이 감도는 차가 담긴 찻잔과 몇 가지 애피타이저가 나타난다.

호륵.

호르르륵.

찻잔은 차가 비워지면 자동으로 채워져 직원을 따로 부를 필요가 없었기에 그들은 몇 잔이고 비워 댔다.

"개념이 없네."

루비가 대뜸 말했다.

"숙녀랑 데이트 약속을 하고 더 늦게 온다고?"

아니다. 아직 약속 시각은 1시간이나 남아 있었다.

"초월자가 되니 눈에 뵈는 게 없나 보네."

"우리 플라워한테 연락 한 번 안 하다가 그거 지적하니 바로 꼽 주는 놈인데 뭐!"

"하! 진짜 어이없지 않아? 우리 플라워가 뭐가 부족해서 이런 취급이야?"

"이쁘지, 강하지, 성격도 좋지, 일도 잘하고, 돈도 많지!"

"가슴도 짱 크고 엉덩이도……."

"그, 그만들 좀 해!"

얼굴이 새빨개진 플라워가 소리칠 때였다.

[예약 손님이 도착했습니다.]

"들여보내."

착 가라앉는 루비의 목소리에 플라워가 말했다.

"예의는 지켜야 해. 아무리 '다수결'에서 밀려서 함께 본다지만…… 너희 방금처럼 이야기하면 나 자리 깨고 나갈 거야!"

"야, 우리가 애니? 너무 걱정하지 마."

"맞아. 잘 알아듣게 이야기를……."

바스락.

중정에 있는 풀들을 헤치고, 재연이 모습을 드러낸다.

그의 등장과 동시에 루비의 입에서 불이 뿜어진다. 어떤 상징이 아닌 물리적인 불꽃이다.

"오냐 잘 왔다! 뭘 하다가 이제야……."

"아, 벌써 다 와 계셨군요. 나름대로 일찍 왔는데."

재연이 성큼성큼 걸어온다.

"이제야, 이제야……."

"어……?"

"아니, 무슨, 뭐지?"

"헤……."

일단 기부터 죽여 놓겠다고 작당했던 F · D의 네 멤버는 분노를 토하는 대신 당황해 어쩔 줄을 몰랐다.

그리고 그런 그녀들 앞에서 재연이 웃었다.

"만나서 반갑습니다. 한재연이라고 합니다."

"……."

"……."

"……."

"……."

우리는 왜 미남 · 미녀에게 매력을 느끼는가?

이성과 교제를 한다면 자신을 사랑해 주는 사람. 목표를 가진 사람. 자신과 성향이 맞는 사람과 함께하는 게 좋다. 세상에 그 사실을 모르는 사람은 없을 것이다.

그러나 우리가 '매력'을 느끼는 이들은 어떤 사람인가?

키가 큰 사람. 이목구비가 반듯한 사람. 몸매가 좋은 사람……

즉.

아름다운 사람이다.

관련된 교육을 받은 적도, 문화의 영향을 받은 적이 없는 아이들조차 아름다운 외모를 선호하는 것은 유명한 사실이다. 이는 아름다움을 쫓는 것이 이성과는 상관없는 본능(本能)의 영역이라는 뜻.

더 우월한 피를 받아들여 더 나은 후손을 쌓고자 하는, 말하자면 '유전자의 명령'이 적합한 대상을 '매력적인 존재'라고 받아들이는 것이다.

"아, 그, 안녕하세요. 사파이어라고 해요……."

"루비라고 불러 줘!"

"흑요다. 만나서 반가워."

"스노우입니다."

멤버들이 차례대로 재연에게 인사했다. 재연은 플라워에게 선물 받은 양복을 입고 있었다. 그 어떤 명품보다 가치 있는 드래곤제 블랙수트에 인류제국 전속 이발사가 깔끔하게 정리한 머리 스타일은 그를 성공한 기업가로 보이게 했다.

생체력으로 초월한 극의지체는 2미터의 키가 전혀 거대해 보이지 않을 정도로 완벽한 비율을 자랑한다.

재연이 자리에 앉는다.

F · D의 멤버들은.

그녀들은…… 재연을 박살 낼 생각이었다. 당연히 진짜 공격한다는 말은 아니고 말로, 눈치로, 몸짓과 행동으로 면박을 줄 예정이었다는 말이다.

그러나 재연이 그들 앞에 서는 순간.

상황은 그들의 작전 계획과 전혀 다르게 흘러가기 시작했다.

"요번에 초월지경에 오르셨다고 들었어요. 정말 대단하세요."

"초월급 몬스터와 싸우시는 걸 봤는데……."

내 소중한 친구가 썸을 타는데 아무리 봐도 내 친구보다 부족해 보이는 썸남이 고가의 선물을 받고 모른 척하고, 전화도 먼저 안 하고, 그걸 서운해하는 티를 냈더니 오히려 면박을 주었다.

어찌 이걸 혼쭐 내지 않을 수 있는가?

그런데.

그렇게 만난 쓰레기 같은 썸남이 막상 만나 보니. 너무.

너무.

잘생겼다.

실제로 그렇다는 게 아니라, 그녀들을 본능에 휘둘리게 한다는 점에서 그와 같은 상황이라 할 수 있다.

"하하하!"

"호호호!"

"하하! 대박 웃기다!"

모든 말에 대화를 이어 나갈 여지를 남기고 끊임없이 화제를 찾는다. 상대를 칭찬하고 슬쩍슬쩍 자신에 대해 이야기한다.

일행 중 넷이 이렇게 대화를 이끌어 나가니 대화가 온화하게 흘러가지 않을 수가 없었다.

이 순간, 그녀들의 본능이 소리치고 있다.

[저것]의 아이를 낳아야 한다고.

'플라워도 그랬지만.'

한편 재연은 생각했다.

'F · D멤버들은 다들 성격이 좋네. 인터넷에서는 까탈스럽다고 하던데…….'

역시 인터넷 썰은 믿을 게 못 된다.

"하하하."

"호호."

저녁 식사는 화기애애한 분위기에서 진행되었다.

F · D의 멤버들은 친절하고 유머러스했으며, 무엇보다 풍부한 지식과 경험을 가지고 있었다.

심지어, 그녀들의 지식과 경험은 단순히 마법에 한정되는 수준이 아니었다.

"이는 결국 강기의 집결에 가장 중요한 것이 철학의 완성이라는 것을 뜻하지. 심법도, 무학도 결국은 그것을 근본으로 하고 있으니 이치와 합리의 개념으로 무학에 접근하다가는 큰코다치기 마련이야."

블랙드래곤 흑요는 나머지 네 멤버와는 이질적인 동양적인 외모의 미녀다. 착 달라붙는 스키니에 힙 위를 살짝 가리는 블라우스를 입고 블라우스 위쪽 단추 두어 개를 풀어 자칫 팽팽해져 튀어 나갈 단추에 여유를 준 스타일.

새까만 머리칼을 단아하게 늘어트린 그녀의 모습은 유

명 엔터의 탑 모델을 떠올리게 하지만, 그녀의 입에서 흘러나오는 것은 패션에 관한 담소가 아니라 드높은 무학이다.

“가장 중요한 것은 뜻[意]을 단단한 기둥처럼 세우는 것뿐 그 기둥의 색이나 재질은 상관없어. 만 명의 절대 고수가 있다면 만 개의 깨달음이 있다는 거야. 이 깨달음은 삶의 총체(總體)이니 누군가에게 전수할 수도 없지.”

“잘 아시는군요.”

“그야 잘 알지.”

흑요는 피식 웃으며 테이블 위에 있는 나이프를 집어 들었다.

슥.

아무런 소리도, 기세도 없이 새까만 강기가 모습을 드러낸다.

“……흑요.”

나머지 멤버들이 인상을 썼지만 흑요는 태연하다.

“뭘 그리 민감하게 반응해. 우리 사이인데. 재연. 이건 비밀이니까, 어디 가서 이야기하면 안 된다?”

‘우리 사이라니. 우리가 무슨 사이지?’

순간 재연은 그런 의문을 가졌지만, 이 상황에서 그걸 따질 정도로 멍청하지 않았다.

“물론입니다. 하지만 절대 고수셨다니…….”

검강을 만들어 내는 시간이나 기세를 갈무리하는 실력

이 심상치 않다. 숙련된 초월자, 레벨로 쳐도 23레벨은 될 법한 수준이다.

'거기에 대마법사일 거 아냐? 정말 말도 안 되는군.'

효율이 높지 않은 길이다. 물론 대마법사가 검강도 뽑고 호신강기로 몸을 보호할 수 있다면 좋기야 하겠지. 그러나 어차피 [초월]의 경지에 이른 이상 다른 영능을 얻어 봐야 그리 드라마틱한 전력 상승은 일어나지 않는다.

20레벨의 대마법사가 절대 고수의 경지에 이르러 봐야 그 전투력은 21레벨. 높게 쳐야 22레벨에 불과하다.

반면 거기에 들어가는 시간, 필요한 재능과 소모된 역량은 어떠한가?

심지어 죽도록 수련하고 [벽]을 넘는 데 실패할 수도 있다. 대마법사와 절대 고수의 깨달음은 그 방향성이 다르기 때문이다.

'하지만…… 크로매틱 드래곤이면 가능하겠지.'

수십만 년을 살았다는 신화적인 드래곤인데 그까짓 시간 따위 아무런 문제도 되지 않을 것이다.

"뭐, 나름의 사정이 있지. 네가 생체력 초월자이면서 절정 고수인 것처럼."

흑요의 말에 재연은 순순히 고개를 끄덕였다.

애초에 능력을 숨길 수 있는 상대가 아니다.

"하긴 비범한 혈통이라고 하셨지요. 실례가 안 된다면…… 흑요 님의 깨달음에 대해 알 수 있겠습니까?"

"세상에 영원한 것은 없다."

너무도 간단한 말에 재연이 헛웃음 지었다.

"……당연한 말이군요."

"깨달음이란 그토록 당연한 것이지."

예상한 대로 전혀 참고되지 않는다. 하기야 깨달음을 한 문장으로 전할 수 있다면 세상에 깨닫지 못할 일이 어디 있겠는가?

그러나 그 깨달음에 관한 이야기를 제외하면…… 흑요와의 대화는 재연에게 엄청난 기연이라 할 수 있었다.

하기야, 세상 어디를 가야 이토록 호의적인 절대고수를 만날 수 있겠는가.

하물며 [스승]은 그녀 한 명이 아니었다.

레드 드래곤 루비는 극의지체를 완성해 마법을 할 수 있는 육신에서 근접 전투에 특화된 육신으로 [변신]이 가능한 존재였고 화이트 드래곤 스노우는 잊힌 신의 힘을 자유자재로 사용 가능한 세인트(Saint)였다. 사파이어는 전격 속성의 천문을 연 차크라 초월자.

플라워는 아공간에 세계수를 품고 있는 정령사이다.

'이건, 정말로 숨길 만하군.'

재연은 내심 기가 막혀 헛웃음을 지었다. 그녀들이 두 번째 영능에 대해서는 비밀로 하고 마법사로만 활동하는 건 어쩌면 당연한 일이다. 사람들이 멍청이도 아니고 이런 능력을 갖춘 그녀들이 이제 갓 1,000살을 넘은 성룡이라고 하면 당연히 이상하다고 생각할 것이다.

솔직히 마법만 사용하는 지금도 의심을 받는 상황이 아니던가?

"생체인자 진화를 근육별로 나눌 수 있다는 걸 알아?"

"천마신공에서……."

"요번에 개발된 삼중 공명을 인챈트에 적용하면 한 장비에 2개의 타입을……."

잠깐의 대화로 재연이 바라는 주제가 '실용'이라는 걸 깨달은 네 드래곤이 주도적으로 이야기를 이끌어 나간다.

재연은 나오는 음식을 꼬박꼬박 먹으며 그녀들이 쏟아내는 정보에 빠져들었다.

'역시 착각이 아니었어.'

한편, 이 자리를 마련한 장본인인 플라워는 중간 중간 리액션만을 취하며 멤버들의 상태를 확인했다.

평소에는 볼 수 없었던 활발함과 그녀들의 시선과 목소리에 녹아 있는 미약한 열기.

플라워는 이제야 확신할 수 있었다.

'내가 느낀 충동을 녀석들도 느끼고 있는 거야.'

플라워는 재연을 자신의 집으로 초대했던 날을 떠올렸다.

만약 그날 어둑서니가 나타나 방해하지 않았다면…… 그녀는 무조건 끝까지 갔을 것이다. 그것이 예전의 그녀가 혐오스럽게 생각하던 일이라는 것을 고려하면 명백히 비정상적인 상황.

'그래. 이제…… 이제 알겠어.'

동료이자 자매, 어쩌면 그 이상일 네 드래곤의 활기찬 목소리를 들으며 플라워는 생각했다.

드래곤 러버와는 다르다. 드래곤 러버 어디까지나 영혼과 정신이 작동한 결과로, 마치 명작 영화나 소설 등을 봤을 때처럼 깊은 감동과 호의를 느끼게 하는 힘이니까.

그러나 재연은 다르다.

이것은 날것 그대로의, 좀 더 육체적인 감정.

즉.

'이것이 바로…… 성적 충동이야.'

한 달에 210만 원 버는 사람에게 일면식은 있지만, 전혀 친하지 않은, 예를 들어 친구의 친구가 찾아와 30만 원어치의 밥을 사 달라고 한다면 보통 미친놈이라고 욕을 할 것이다.

친구의 친구가 아니라 그냥 친구가 그런다면? 기꺼이 쌍욕을 하고 죽빵을 날려 주는 게 도리겠지.

그러나 만약…… 그 상대가 육감적인 몸매에 아이돌 센터급 외모를 가지고 있다면?

그는 결혼까지 생각할 것이다.

성적 충동이다. 이성적으로 생각할 때 상대와 자신이 잘될 가능성이 0.001%도 안 된다고 하더라도 많은 이들이 기꺼이 그 관계에 뛰어든다.

불에 뛰어드는 불나방처럼, 돈과 시간을 써 가며 밤마다 클럽에 뛰어드는 청춘들처럼 성적 욕망은 너무도 강력한 동력으로서 생명체를 움직이게 만든다.

"하하하!"

"호호호!"

모두가 즐거웠다. 재연에게 그녀들과의 시간은 그 자체로 기연이었고, 오룡에게도 재연과 함께하는 이 자리가 꿈처럼 달콤하고 흥분되는 시간이었으니까.

그러나 네 드래곤들은 자신이 어떤 감정을 느끼고 있는지 잘 모르고 있었다. 지금 이 자리에서 오로지 플라워만이 상황을 정확히 파악하고 있었다.

'성욕이라니…….'

수십만 년을 살아온 그녀에게도 생소한 감각이다. 그도 그럴 것이 오두룡 크로매틱 드래곤은 애초에 생식(生殖) 행위를 하는 존재가 아니기 때문이다. 생식하지 않으니 성별도 당연히 없고 경험은 더더욱 없다. 과거 지독한 종차별주의자였던 크로매틱 드래곤은 폴리모프도 거의 안 하는 존재였으니 그저 지식으로만 알고 있었을 따름.

그리고 지금.

크로매틱 드래곤은 다섯으로 찢어진 지금에서야 우주의 탄생부터 지금까지 수많은 생명체가 휘둘리는 이 강렬한 충동을 경험하게 되었다.

"아, 벌써 시간이 이렇게 되었군요."

"아……."

"이런……."

재연의 말에 모두가 아쉽다는 듯 탄식을 내뱉었다.

어느새 시간은 새벽 1시. 식사는 이미 예전에 끝났고 간식거리를 먹으며 대화를 나누던 중이다.

"아, 저기 음…… 우리 2차라도 가서 술이라도 마실까? 우리 집에 괜찮은 술이 있는데."

재연은 루비의 말에 혹할 수밖에 없었다.

그녀들과의 시간이 너무나 즐거웠고 또 유익했기 때문이다.

그러나 이대로 가면 플라워 때 사태의 재탕일 뿐인 데다가.

"죄송합니다. 일정이 있어서."

있는 정도가 아니라 아주 빡빡하다. 일정표에 수면 시간도 없을 정도인데 2차를 갈 여유가 어디 있겠는가?

만일 그녀들이 경험이 더 많았거나 '결심'을 했다면 이 정도의 거부 따위 아무런 의미도 없었겠지만…… 아직 자신들이 느끼는 흥분의 정확한 정체조차 모르는 네 드래곤이 그렇게까지 할 이유가 없다.

단둘이라면 어떻게 분위기라도 만들어지겠지만 지금 이곳은 나머지 멤버들도 함께하는 자리가 아니던가?

"그럼 번호 교환하죠!"

"맞아! 나도나도!"

네 드래곤이 멋대로 체다를 납치해 간다. 스마트 펫의 보안 시스템 따위 초월자 앞에서 무용지물.

체다가 그녀들 사이를 한 바퀴 돌고 그녀들의 연락처가 추가되었다.

"그나저나…… 많이 바쁘신가 보네요."

나긋나긋한 스노우의 목소리에 재연이 답했다.

"네. 앞으로 일정이……."

재연을 앞으로의 일정을 대략적으로 읊어 주었다. 그녀들은 소설가라는 자신의 정체도 알 테니 별걱정이 없는 상황.

재연의 일정을 들은 스노우가 어이없어한다.

"아니, 무슨…… 잠잘 시간도 없잖아요? 아무리 생체력 초월이어도 그렇지. 게다가 연예계 활동이 왜 이리 많아요?"

"실제로 연예인이기도 하니까요."

인제 와서는 내 프로필 중 구석에 자리할 수밖에 없을 만큼 밀렸지만 어쨌든 인기 배우가 아니던가?

"실제로 연예인이어도 협의를 발로 뛰며 하지는 않아요! 매니저는 뭐 하는데요?"

"없습니다. 아무래도 홀몸……."

"설마 소속사도?"

"아, 네. 왜 그러시죠?"

내 대답에 네 드래곤이, 아니 지금껏 한 걸음 물러서

있던 플라워까지 반색하는 모습이 보인다.

이윽고 스노우가 말했다.

"그렇다면 제안하고 싶은 게 있는데……."

* * *

**1. 매니지먼트 권한 부여**

**갑은 을에게 대중문화예술용역에 대한 독점적인 매니지먼트 권한을……**

**2. 가수의 사생활 보장 등 인격권 보호**

**을은 갑이 자기의 재능과 실력을 최대한 발휘할 수 있도록……**

**3. 갑은 계약 기간 중 을이 독점적으로 권한을 행사하도록 되어 있는 대중문화예술용역과 관련하여……**

계약서를 읽는다. 특별할 게 없는 계약서다. 이미 접근한 엔터가 몇 있던 만큼 관련 이야기를 들었었고, 이 단순하기까지 한 계약서에 독소 조항 따위가 없다는 사실은 이미 알고 있다.

'설마 엔터에 들어가게 될지는 몰랐는데.'

드래곤 스타(Dragon Star).

소속된 아티스트가 단 한 팀밖에 없는 엔터 기업과 이번에 계약하게 되었다. 운영하는 팀은 단 한 팀이지만 34

지구의 그 어떤 연예 기획사도 따라갈 수 없는 자금과 영향력을 가진 회사.

'하기야 그 한 팀이 F · D이니…….'

솔직히 그냥 혼자 할 생각이었다. 지금까지도 쭉 혼자 해 왔고 별다른 불편함을 느끼지 못했기 때문이다.

그러나 계약서를 보는 순간 생각은 전혀 달라진다.

계약서에 담긴 필수 조건은 단 하나.

**[갑은 가능한 선에서 을이 제공하는 공간에서 업무를 진행하여야 한다.]**

쉽게 말해 출근하라는 당연한 조건!

반면 거기에 따라붙는 어드밴티지는 그야말로 상상을 초월한다.

**[모든 수수료와 세금을 공제하여 실제 을의 법인 통장에 입금된 금액을 기준으로 10:0의 비율로 10에 해당하는 금액을 갑에게 지급한다.]**

분배 비율 10:0.

'미쳤네, 미쳤어. 돈이 많긴 한가 보구만.'

이걸 안 하면 멍청이나 다름없었다.

물론, 의심스러울 정도의 친절하긴 하다.

'플라워가 특이한 경우라고 생각했는데 멤버들도 비슷한 느낌이었단 말이지.'

고만고만한 작은 기획사가 이런 계약서를 들고 왔다면, 말도 안 되는 조건이라지만 이해할 수 있었을 것이다.

나는 초월자인 동시에 게임신의 사도.

야망이 있는 기획사라면 분배 비율을 10:0으로 하더라도 얻을 게 있을 것이다. 특히나 몬스터 사태가 발발하는 지금은 더더욱 그러하겠지.

그러나 그 상대가, 소속된 아티스트가 단 한 팀밖에 없는 기획사. 드래곤 스타(Dragon Star)라면 이야기가 다르다.

돈을 버는 게 목적이 아니라 F · D가 아이돌 활동을 하는 게 목적이 아닐까 싶은 회사이니 지금 이 계약은 순수한 친절이라 봐도 좋을 것이다.

'만약 이런 계약을 다른 사람이 가져왔다면 좀 찝찝하게 생각하겠지만…….'

세상에 제일 쓸모없는 게 드래곤 걱정.

내가 기꺼이 계약을 받아들이는 것은 너무나 당연한 선택이었다.

"말씀하셨던 모든 대상과 연락하여 17건의 방송 출연. 1건의 영화 촬영. 같은 출장지에서 진행되는 3건의 용병 임무의 계약을 완료했습니다. 광고 요청은 현재 27건이

들어왔으며 조건은 추후 정리해 보내드리겠습니다."

체다가 책상에 앉아 차분한 목소리로 설명한다. 당연한 말이지만 체다 너머의 통화 상대가 하는 말.

그는 내가 미리 연락하던 모든 이들과 연락해 일정을 새로 짜고, 방송국 사람들과 광고와 방송을 조율하던 과정을 모조리 생략시켰다.

덕분에 난 그저 가만히 있다가 고작 반나절 만에 방송만 출연하면 되는 상황이 마련된 것이다.

"상세 스케줄은 드래곤 스타의 전용 앱에 계속 갱신될 테니 그대로 움직이시면 됩니다."

"그렇게 하지요. 감사합니다. 어둑서니님."

통화 상대는 노블레스 중에서도 왕족에 가깝다는 희귀종. 쉐도우 드래곤 어둑서니였다. 그는 내키지 않는 눈치였지만 직접 내 옆에 붙어 커버하는 것을 제외한 모든 업무에 도움을 주기로 약속했다.

"나는…… 하. 일이라 한 거니 감사할 필요 없습니다."

"그래도 감사합니다."

"네. 그럼 끊지요."

통화를 마친 난 감탄할 수밖에 없었다.

"와, 소속사가 생기니 편하긴 하네."

연예인들이 왜 소속사에 들어가는지 알겠다. 내가 직접 연락을 돌리고 관련자를 만나고 급여를 협상하는 것도 불가능한 일은 아니지만, 아무래도 편의성의 차원이 다르다.

심지어 드래곤 스타의 케어는 그것으로 끝이 아니었다.

"이제 여기도 끝인가."

나는 원룸을 정리했다. 옷이라고는 배사랑이 사 준 양복과 플라워가 사 준 양복 2벌뿐 나머지는 다 버려도 되는 헝겊 뭉치들이다. 다른 짐도 거의 없어서 용병 등록증에 내장된 30세제곱 미터의 인벤토리에 모조리 구겨 넣을 수 있었다.

철컥.

문을 닫고 원룸을 나선다. 집을 처리하는 법적 절차도 드래곤 스타에서 처리해 주기 때문에 그냥 떠나면 그만이다.

"알알! 알알알!"

엘리베이터 앞에 서 있는데 개소리가 들린다.

"어우! 써쓰야, 뭐가 이렇게 좋다고 오두방…… 헉?"

살아 있는 강아지를 이끌고 나온 여인이 나를 보고 깜짝 놀라 멈춰 선다.

익숙한 목소리에 나는 살짝 웃으며 인사했다.

"안녕하세요."

"네, 네! 안녕하세요! 지금쯤이면 나가셨을 줄 알았는데……."

초월자가 왜 원룸에 살아? 라는 표정을 짓는 여인은 경찰특공대의 전투 경찰 송하나다. 서로 지인이라고는 할 수 없어도 여러 번 얼굴을 본 사이.

“오늘이 마지막입니다. 듣기에 제가 초월지경에 이를 때 참사가 벌어지는 걸 막아 주셨다는데…… 정말 감사했습니다.”

전투 경찰인 그녀가 나와 같은 층이었던 덕에 참사를 막을 수 있었다. 그녀가 위험을 무릅쓰고 나를 이면세계로 날려 보내지 않았다면, 나는 아직도 수십 개의 소송에 고생하고 있었겠지.

꾸벅 고개를 숙이는 내 모습에 하나가 깜짝 놀라 고개를 도리도리 흔든다.

“할일을 한 것뿐인걸요! 그 일 덕분에 진급도 했고요.”

“그래도 감사합니다. 혹시 나중에 제가 도울 일 있으면 연락 주세요.”

나는 내친김에 연락처까지 교환했다. 우연한 만남에 그렇게까지 하는 건 내가 그만큼 감상에 젖어 있기 때문이리라.

어쩌면 당연히 했어야 할 일이기도 했고.

“그럼 안녕히.”

“아, 안녕히 가세요!”

과거 소드 마스터의 경지로 날 놀라게 했던 여인이 경외심을 가득 담은 눈으로 나를 배웅한다.

‘많은 일이 있었군.’

룸 타워 자체에 애착은 없다. 말 그대로 잠을 자는 공간에 불과했기 때문이다. 식사도 거의 아르데니아에서 해결했기에 주변에 아는 식당도 거의 없고 지인이랄 것도 없다.

그러나 이곳에 들어온 이후…… 내 삶은 완전히 바뀌었다. 병사 월급으로 원룸을 구했던 때의 나와 지금의 나는 완전히 다른 존재라 해도 과언이 아니다.

'그야말로 열일했지.'

나는 죽어라 일했고, 또 싸웠다. 솔직히 그리 어렵지 않았던 것은, 그것이 분명한 미래가 그려지는 시간이었기 때문이리라.

그렇게 생각에 잠겨 있을 때였다.

"멈춰."

"……?"

난데없는 목소리에 발을 멈춘다. 돌아보니 건장한 덩치의 사내가 나를 보고 있다.

그가 말했다.

"오랜만이군. 못 본 사이에 엄청나게 출세했던데."

뭔가 억눌려 있는 목소리에 생각한다.

'아, 큰일 났다.'

심각한 위기 상황이다.

'누구지?'

나는 두 개의 세계를 번갈아 살아가고 있다. 이는 아무런 연관 없이 완전히 분리된 시간대이기에 34지구의 찰나가 아르데니아에서는 수십 년일 수 있고 그 반대도 가능하다.

만일 그 시간이 얼마 안 된다면 별문제가 안 되겠지만…… 연 단위면 그때부터는 신경 써야 할 게 많아진다. 한쪽 세계에서는 얼마 전의 일이 내게는 오랜 과거의 문제가 되기 때문이다.

나는 필사적으로 머리를 굴리다 말했다.

"오, 오랜만이야. 같이 알바를 한 지가 벌써……."

"무슨 말을 하는 거냐? 알바라니?"

'아씨 아니네.'

편의점 알바를 같이하다 강철거인 마탑에 지원한 녀석인 줄 알았는데 틀렸다.

"에, 참 실수를 했네. 알바가 아니라 정규직이지. 웅녀철강에서……."

"아니 대체 무슨 소리냐? 왜 자꾸 직장 이야기를 하지?"

'또 아냐? 일하다 본 사람이 아닌가?'

초조함이 밀려온다. 이는 인성 논란이 날 수도 있는 문제였기 때문이다.

그러나 어쩔 수 없다. 그들에게는 얼마 전일지 몰라도 내게는 10년의 세월이 흘러 버렸지 않은가?

'아, 누구지. 촬영할 때 만난 스태프인가? 아냐 일하다 본 사람이 아닌 모양인데…… 군대 선후임?'

확신할 수가 없다. 군대에 있을 때는 그렇게 지긋지긋

하던 놈들이 어느새 이름은커녕 얼굴도 가물가물했기 때문이다.

'설마, 중, 고등학교 동창인 건가?'

만약 그렇다면 더더욱 기억할 방도가 없다. 그쪽은 10년도 아니고 30년. 아니, 지구에서 지난 시간까지 치면 거의 40년 전 인연이기 때문이다.

내가 내 인생을 되돌아보고 있을 때.

더 이상 내 침묵을 참지 못한 사내가 버럭 소리를 질렀다.

"어찌 이런 참람한! 고향별과 민족의 존재를 어찌 이토록 업신여길 수 있단 말이냐? 너에게는 애국심도 없나?"

그 목소리에 머리가 차갑게 식는다. 한편으로는 안도감도 들었다.

"아이, 뭔가 했더니 천상회(天上會)였잖아? 괜히 고민했네, 별……."

"벼, 별? 별이라고? 네놈! 우리 천상회를 파멸로 몰아넣어 놓고 그게 무슨 태도……."

"그래, 네놈이 있었지."

피식 웃으며 한 발짝 앞으로 다가서자 버럭거리던 녀석이 깜짝 놀라 움츠러든다. 녀석은 그게 마지막 자존심이라는 듯 물러서지 않으며 으르렁거렸다.

"너, 너, 너 혹시나 폭행을 행사한다면 바로!"

"바로?"

"바로 경찰에 신고하겠다!"

초월자에게 하기에는 너무나 한심한 외침이지만 그게 먹히는 게 34지구의 위엄.

'그러나 하나는 알고 둘은 모르는군. 하기야 초월자 만날 일이 보통은 없지.'

헛웃음 지으며 물었다.

"그건 됐고, 천상회를 파멸로 몰아넣었다는 게 무슨 말이냐? 좋은 일이긴 한데 전혀 아는 바가 없어서."

터벅터벅 다가가 묻는다. 녀석은 대답하는 대신 부들부들 떨며 소리쳤다.

이미 녀석의 영성(靈性)은 내게 완전히 짓눌려 있었다.

나는 초월자.

단지 기세를 뿌리는 것만으로 격하의 상대를 죽일 수도 있는 존재다.

"나, 나는, 절대, 절대 합의하지 않겠다!"

바락바락 소리치지만 눈물 나도록 하찮다. 그도, 그리고 그 뒤에 있는 천상회도…… 이미 그들은 나와 싸우기에도, 수작을 부리기에도 너무나 작은 존재다.

녀석들을 상대로는 1챕터도 아깝다.

"뭘 합의하지 않는다는 거야? 나는 너한테 손도 안 댈 건데."

"뭐?"

"후!"

강하게 입 바람을 분다.

"으, 아아아아악!?"

강한 바람에 휩싸여 사내가 하늘로 날아오른다. 녀석 역시 영능력자였던 만큼 나름의 이능을 발휘했지만 바람에서 벗어나지는 못한다.

"으- 아— 아--- 악!"

삽시간에 멀어진다.

"배사랑 말이 맞네."

나는 그녀의 말을 떠올렸다.

"수준 떨어지는 것들과 안 엮이려면 집은 새로 구하시는 게 좋아요."

뭐, 이제는 저런 것들을 만날 일은 없을 것이다. 그것을 위해서 원룸에서 나온 것이 아니던가?

나는 시야 밖으로 벗어나는 녀석의 모습을 잠시 지켜보다 몸을 돌렸다.

다시 일해야 할 시간이었다.

chapter2.

# 정의와 진실

## chapter2.
## 정의와 진실

즐거운 노동의 시간.

첫 일터는 미리 잡아 두었던 네메시스의 [초현실 연구소]였다.

'크네……. 이게 일개 게임사가 운영하는 연구소라니.'

네메시스 소프트는 리벤지로 벌어들이는 막대한 돈을 남기는 것 없이 재투자하고 있다. 34지구 유일의 심도는 그런 투자 위에서 완성된 시스템이라 할 수 있다.

"이걸 드셔 주십시오. 기기가 마나의 흐름을 관측하게 만들어 주는 약인데……."

"접속기 조율을 시작하겠습니다."

"혹시 저항력은 잠시 풀어 주실 수 있나요?"

"와, 정말로 초월자를 섭외하실 줄이야……."

대여섯 명의 연구원이 다가와 내 몸에 뭘 붙이고, 걸고, 심지어 먹이기도 했다.

나는 내 옆에서 그들을 조율하던 사랑에게 물었다.

"저건 뭡니까?"

연구소의 한쪽에는 강당 정도 되는 크기의 커다란 금속구가 자리하고 있다. 수천수만 개의 부품이 복잡하게 얽혀있는 그것에서는 초월의 경지에 오른 나조차 경시할 수 없는 어마어마한 수준의 영력과 전력이 흐르고 있다.

"완전한 가상 세계를 이루는 구성품을 만들어 내는…… 일종의 제작 툴(Tool)이에요. 리벤지가 버는 돈을 모조리 때려 넣은 결과물이죠."

나는 연구원들의 안내에 따라 기성품과는 전혀 다른 크기를 가지고 있는 접속기에 몸을 뉘었다.

사랑이 말한다.

"기동시켜."

"월드 크리에이터 작동합니다. 셋. 둘. 하나."

짝.

울림과 함께 어느새 나는 거대한 기계 장치 한가운데 서 있었다.

"오…… 지금까지 보다도 더 현실성 있군요."

1급 심도와도 비교되지 않는다. 정신을 집중하면 내 몸이 가짜라는 걸 알 수 있지만, 그것은 내가 초월자이기 때문에 가능한 일이다.

다만 문제가 있다면.

'내 몸뿐이네.'

월드 크리에이터 안 존재하는 것은 오직 내 몸 하나뿐이다. 그것도 현실의 극의지체를 전혀 재현하지 못하는 일반인의 몸.

나는 눈을 감았다. 저 멀리 눈을 감고 있는 본체가 인식된다.

손을 들었다.

"어!?"

"움직였다!"

"와, 재연 님? 혹시 저희 말이 들리시나요?"

"네, 들립니다."

"역시 초월자! 완전 몰입 상태에서도 현실의 통제력을 잃지 않는군요!"

연구원들이 호들갑을 떨고 있을 때였다.

"오, 새로 오신 분이네요. 누구시죠?"

월드 크리에이터 안에 있는 내 캐릭터 앞으로 작은 소녀가 다가온다.

'NPC? 아냐. 좀 다르군.'

반짝이는 금발. 오밀조밀한 이목구비를 가진 소녀는 꼭 껴안아 주고 싶을 정도로 귀여웠지만 그건 절대 인간의 귀여움이 아니다.

고작 1미터 남짓한 신장.

완벽한 비율의 신체를 가진 그녀의 귀여움은 인간 아이의 귀여움이 아닌 피규어나 인형의 그것에 더 가깝다.

“기술 적용 실험에 참가하러 온 사람입니다.”

공손하게 대한다. 폐급 마나 적성을 가진 예전이었다면 ‘여기는 무슨 일이니 꼬마야?’ 따위의 말을 내뱉었겠지만…… 지금은 알고 있기 때문이다.

‘이 녀석, 나보다 강하다.’

그냥 강한 정도가 아니라 훨씬 강하다. 지금 내 의식이 캐릭터에 있음에도 그걸 알 수 있을 정도로 힘을 갈무리하지 않는 녀석이다.

“기술 적용 실험? 아! 당신이 그 인간 초월자로군요?”

소녀는 신기하다는 듯 내 주위를 돌았다.

시간이 지날수록 그녀의 표정이 해괴해진다.

“아니 대체 패스(Path)가 몇 개나 연결되어 있는 거예요? 아홉…… 열…… 열한 개? 게다가 이 두께…… 혹시 당신은 위대한 예술가입니까?”

“네?”

영문 모를 소리에 의아해 할 때였다.

[엘리스! 실험 중에 왜 거기에 들어가신 겁니까?]

스피커로 사랑의 목소리가 들린다. 엘리스가 답했다.

“잠깐 좀 봤습니다.”

[이거 돌리는 데 1분에 7천만 원입니다. 물어 주신다면 따지지 않겠습니다.]

"……수전노."

궁시렁거리는 순간.

깜빡.

엘리스라 불린 소녀가 사라진다. 나는 현실의 몸으로 그녀가 현실로 이동했다는 걸 알았다.

'……뭐지?'

당황했다. 보기에는 공간이동처럼 보이지만 말이 안 되는 일이다. 내 '캐릭터'가 있던 곳은 일종의 가상 세계이고 저기 밖은 현실 세계이기 때문이다.

가상세계에서 현실로 이동을 하다니?

'뭐 하는 녀석이지?'

의아해하는 나에게 사랑이 말을 건다.

[늦어져서 죄송해요. 즉시 시작할게요.]

"네."

우우웅---!

내가 들어와 있는 정체불명의 거대 기계가 묵직한 공명음과 함께 본격적인 작동을 시작한다. 나는 정신을 집중한 채 온몸에 와닿는 마나의 격류를 받아들였다.

그때 스피커가 켜진다.

그러나 스피커와 상관없이 나는 현실의 몸으로 그녀의 말을 들을 수 있다.

"이 남자 이름이 뭐죠?"

"한재연 씨예요."

"한재연 씨. 어떤 초월자죠?"

"생체력 초월자입니다."

"아, 차크라 초월자였으면 좋았을 텐데."

엘리스가 안타까워한다.

'차크라도 9층이긴 한데.'

그러나 굳이 그런 말을 꺼내지는 않는다.

내가 차크라 9층이라고 차크라 초월자라 주장하는 건 그야말로 사기에 가깝다.

차크라가 9층이면 뭘 하는가?

'천문을 하나도 못 열었는데.'

마법사로 치면 기연을 얻어 마력은 9클래스급인데 경지는 6클래스밖에 안 되는 것과 마찬가지다. 물론 동급의 마법사에 비하면 훨씬 강하겠지. 마력이 엄청나게 많으니 마법을 펑펑 쓸 수 있지 않겠는가?

그러나 그렇다고 그걸 9클래스 마법사와 동급이라고 주장한다는 건 있을 수 없는 일이다.

우우웅---

공명음이 점점 강해진다. 나는 주위에 몰아치지는 마나가 눈에 보일 정도로 짙어지는 것을 보았다.

사랑이 말했다.

[재연 씨. 꽃을 상상해 주세요.]

[사랑, 단번에 꽃을 구현하는 건 불가능해요.]

[꽃을 목표로 해야 색이라도 구현할 수 있을 거예요.

재연 씨. 명확한 빨간빛을 내는 꽃을 생각해 봐요. 새빨간 장미를……]

사랑의 말을 들으며 생각한다.

'꽃.'

그녀의 말을 들으니 자연스럽게 떠오르는 이미지가 있었다.

'꽃이라.'

그것은 꽃이 아니다.

꽃의 이름을 가진 여인이지.

팟!

[……뭐?]

[이게, 무슨?]

여기저기에서 숨넘어가는 소리가 들린다.

내 앞에 플라워가 있다.

"오."

순간 정말 그녀가 나타났다고 생각할 정도로 생생한 모습이지만, 기계로 뒤덮인 주변 상황에도 전혀 당황하지 않고 가만히 서 있는 모습은 절대로 진짜 플라워일 수 없다.

[말도, 안 돼. 한 번에…… 사람을?]

[저거, 설마 살아 있는 겁니까? 숨을 쉬고 있어요?]

[아니 아이템 하나도 적용하기 힘든데 단번에 NPC라니……]

시끌시끌한 스피커를 무시하고 손을 뻗어 본다.

턱.

플라워가 만져진다.

얼굴을 자세히 들여다본다. 아이를 낳고 어느새 10년.

여전히 젊지만, 예전에 비하면 상당한 관록이 쌓인 얼굴이다. 눈가에는 조금씩 주름이 보이고 살도 조금 붙어서 날카롭던 이미지가 온화해졌다.

그저 나를 보며 웃을 뿐 말을 하지도, 주위를 둘러보지도 않는 플라워.

그러나 이 순간, 그녀는 분명히 살아서 숨 쉬고 있다.

'이거, 어쩌면 가능하겠군.'

나는 그녀의 손을 놓은 후 말했다. 누구한테 하는 말이라기보다 내 이미지를 명확하게 한정하기 위한 말이다.

"성."

[네? 아니 그보다 재연 씨 지금 대체 뭘 어떻게 한.]

"기가스 랜드."

[네?]

의아해하는 사랑의 목소리를 들으며 나는 오른발을 들었다.

쿵.

그리고 바닥을 내려찍자.

온 세상이 뒤집혔다.

두두두두!

바닥으로 보도블록이 폭포처럼 쏟아져 나간다. 아스팔트가 깔리고 건물들이 대나무 자라듯 쑥쑥 자라났다.

물리학적으로 불가능하지만 내게는 새로울 것도 없는 광경이다.

내가 성을 업그레이드 할 때마다 보던 광경이 아닌가?

쿠구구구궁―――!

넓다고는 하나 반지름 100미터 정도에 불과하던 금속의 공간이 끝도 없이 넓어진다.

물론 진짜로 넓어지는 건 아니다. 짙은 마나가 내 감각을 그렇게 속이고 있는 것이지.

"이, 이게 무슨……."

"세상에! 필드를 만들어 냈습니다! 7만 점 이상의 오브젝트가……!"

"게다가 이 양식들…… 리벤지 아닙니까?"

"아니, 개발 팀이 지난 한 달 동안 집 한 채 겨우 만들었는데……."

"이게 초월자의 힘……?"

연구원들이 혼란에 빠져들었다. 나는 내심 기가 막혀서 웃었다.

'아니 뭐야, 무슨 리액션 담당인가?'

그렇다면 실망시키면 안 되지.

나는 정신을 집중했다.

우웅!

부릉!

"으악! 이럴 수가!"

"도, 도시가 작동하고 있습니다! 버스가 움직이고 있어요!"

"아니, 초월자여도 이게 말이 됩니까? 이 많은 건축물을, 그 크기, 재질, 질감과 중량들을 단번에 구현하는 게 인간에게 가능할 리가……."

연구원들의 내지르는 비명을 들으며 주위를 둘러보았다.

어느새 나는 기가스 랜드의 길드 타워 앞에 서 있다.

'소환을 하는 것과 비슷한 느낌이군.'

나는 차크라 요소 소환(召還)으로 아르데니아의 구성품들을 지구로 불러올 수 있다. 그것들을 완전히 현실에 꺼내는 건 아니고 잠시 들고 나왔다가 다시 되돌리는 쪽에 가깝다.

아이템을 현실에서 쓰다 부숴 먹으면 아르데니아에서도 부서져 있는 것이 바로 그 증거.

'다만 지금의 경우는 조금 달라.'

내가 아르데니아에서 꺼낼 수 있는 것은 등급을 가진 '아이템'에 한정되어 있다. 지금 같은 식으로 '장소'를 구현하는 것은 불가능한 일.

게다가 지금 내가 불러온 도시는 소환한 물건들과 달리 진짜로 현실에 존재하지 않는다. 마치 현실처럼 보여도 가상인 것이다.

다른 것은 또 있다.

'아이템 설명이 안 떠.'

오른손이 빛난다. 전설급 행운 장비인 [행운의 찬란한 빛 장갑]을 꺼내 장착했기 때문이다.

그러나 장갑을 아무리 살펴도 아이템 창이 뜨지 않고 늘어난 스텟도 감지되지 않는다. 내가 구현할 수 있는 것이 겉모습뿐이라는 이야기다.

훅!

잡념에 빠지자 기가스 랜드가 사라진다. 강철의 성벽, 수백 수천 채의 건물, 아스팔트 도로와 그 위를 오가던 버스. 그리고 플라워까지.

모두 흔적도 없다.

"……재연 씨. 지금 뭘 어떻게 한 거예요?"

사랑의 질문에 대답한다.

"리벤지의 도시를 구현한 거죠."

"아니, 평면 그림도 구현이 힘든데 도시를 한 번에요?"

어이없어하는 사랑의 반응이 이해 안 가는 것은 아니다.

한 권의 책을 달달 외워도 '237페이지 5번째 줄 8번째 글자는?'하고 묻는다면 기억해 내지 못하는 게 사람이다.

그림 하나를 지겹도록 보아도 배경에 있는 인물의 치마 색을 기억 못 하는 건 흔하디흔한 일.

물론 그 기준은 어디까지나 일반인. [초인]의 영역에

들어가면 이야기가 달라지지만, 아무리 그래도 도시 전체를 머릿속으로 그린다는 건 말이 안 되는 영역이다.

'사실…… 나도 못하지 그런 건.'

내가 현실에서 카심을 소환할 수 있다고 그게 눈을 감고 카심을 그려 낼 수 있다는 말은 아니지 않은가?

나는 그저 아르데니아의 '정보'를 복사해 꺼내 오는 것에 불과하다.

"흠. 저는 생체력 초월자이지만…… 동시에 차크라 초월자이기도 합니다."

"아, 그러고 보니 차크라 수련자라고 하셨었죠."

고개를 끄덕이는 사랑과 달리 연구원들은 헛웃음을 흘린다.

"더블…… 그랜드 마스터?"

"아니, 아직 30살도 안 된 사람이 초월자인 것도 말이 안 되는데 심지어 더블이라고?"

"진짜 신족 아냐? 위대하고 위대하신 게임 마스터님의 숨겨진 자식이라는 음모론이 있던데……."

"아니, 소설로 있어도 개연성 똥망이라고 욕할 텐데 이게 현실?"

당혹스러워하는 연구원들을 보며 생각한다.

'뭐, 결국 언젠가는 깔 일이긴 했지. 용병 일도 해야 하는 상황에 언제까지 소환을 봉인할 수는 없는 일이니.'

나는 스스로를 차크라 초월자라 말하기 부족하다고 생

각한다. 마력만 하늘을 찌르는 6클래스 마법사처럼 내 차크라 기예가 능력을 따라가지 못하기 때문이다.

그러나 단 하나. 내게는 천문(天門). 아니, 어쩌면 그 이상일지도 모를 요소가 있다.

"……재연 씨. 실례가 안 된다면 대체 어떤 요소일지 알 수 있을까요? 소환? 구현?"

사랑의 물음에 대답한다.

"아뇨. 사랑 씨에게 좀 더 익숙한 요소일 겁니다."

"저한테요?"

의아해하는 그녀에게 대답한다.

"아르데니아."

"……."

그렇다. 몬스터 사태가 벌어지고 있어 마음껏 쓰지는 못했지만…… 아르데니아는 처음부터 끝까지 열려 있었다.

내면에 소우주가 열리는 정도를 넘어 아예 세상 하나가 굴러가고 있으니 더 말해 무엇할까?

나는 짝짝 손뼉을 쳐 분위기를 환기시켰다.

"자자! 저 3시간 뒤면 다음 일정 가야 합니다! 바쁜 몸이니 멍 때리지 말고, 해야 할 걸 말씀해 주세요!"

"앗! 그, 그럼 소모품을 구현해 주실 수 있나요? 그리고 마셔 주시기도!"

"장비들도 가능한가요? 예시용 장비 리스트를 띄워 드

리겠습니다!"

"사람! 아까처럼 다시 사람을……."

약간은 소란스럽게 작업을 시작한다.

나는 약속했던 시간 동안 그들이 바라는 것보다 훨씬 더 많은 오브젝트를 구현했으며, 그들이 짜 놓은 일정보다 훨씬 더 빠르게 업무를 진척시켰고, 그들이 바라는 것보다 더 일을 잘했다.

그럼에도 내가 업무를 끝내자 모두가 난리를 친다.

"악! 10분! 아니, 30분만 더!"

"재연 님! 연구비 제가 어떻게든 해 볼 테니……."

"자자. 다음에 또 올 테니 여기까지."

안타까워하는 연구원들을 헤치고 나오자 사랑이 혀를 찬다.

"뭔가 능숙하시네요."

"무수한 악수의 요청이 한두 번도 아니고 뭐."

어깨를 으쓱이는 내게 인형같이 예쁜 소녀, 엘리스가 다가온다.

"초월자."

"한재연입니다."

"그래. 인간 초월자. 혹시 언제 나도 도와줄 수 있을까?"

소녀의 말에 고개를 끄덕인다.

"페이만 맞는다면."

"그래. 돈이라면 얼마든지."

그 말을 끝으로 사라진다. 나는 그녀의 기척이 완전히 사라진 후 물었다.

"누굽니까? 엄청 강해 보이던데."

"리전이에요."

"아하."

나는 그제야 네메시스 소프트가 다른 기업들이 흉내조차 내지 못하는 드높은 기술력을 가질 수 있었던 이유를 알 수 있었다.

기계 영혼 리전의 과학 기술은 우주에도 몇 없는 제4문명.

그들과 기술 교류를 할 수 있다면 우주에서도 상위권에 속하는 34지구에서도 충분히 기술을 선도할 수 있다.

"그럼 다음 주에 뵙죠."

"그렇게 나중예요?"

"일이 많아서요. 매주 월요일마다 오도록 하죠."

"에휴…… 네. 오늘 한 것만 해도 엄청나긴 했으니까요."

"자, 그럼."

나는 뭔가 할 말이 많아 보이는 사랑을 두고 다음 스케줄로 이동했다.

**[강해지고 싶니? 하이 파워!]**

**[몰아치는 천둥! 썬더 유니콘!]**

광고를 찍는다.

'와. 둘 다 메이저인데 바로 이런 걸 따오네…… 이게 초월자 매니저의 힘인가?'

화요일에 일성 제약의 영약 광고를, 수요일에는 환웅 컴퍼니의 수급 기가스 광고를 찍었다.

저녁에는 소설 필사를 했는데, 그 장소는 지금까지의 원룸이 아니다.

팟!

공간을 넘어 하늘을 찌를 듯 거대한 빌딩의 정면에 도착한다.

빌딩에는 이런 글자가 쓰여 있다.

**[드래곤 스타 엔터테인먼트]**

"고작 한 팀의 소속 가수로 이 정도 규모라니."

피식 웃으며 안으로 들어간다.

[어서 오십시오.]

로비에는 중갑주를 걸치고 있는 3미터자리 거인이 서 있다.

그들은 용의 이빨에 특수한 술식을 투자해 만들어진 진짜배기 용아병(龍牙兵).

나는 그들의 환대에 고개를 끄덕인 후 엘리베이터에 탑승했다.

띵!

84층에 도착한다. 엘리베이터의 문이 열리자 바로 거실로 연결된다.

'호화롭군.'

이곳이 내 새로운 숙소다. 84층 한 층도 아니고 84층부터 87까지 무려 4개 층이 내 숙소로 할애되어 있는 것!

"이 모든 게 무료에 분배 비율 10:0이라니…… 나중에 장기라도 떼 가는 건 아니겠지?"

헛웃음 지으며 벽에 손을 올린다.

"환복."

내 말에 벽에 마법진이 주르륵 떠오른다.

풀 스펠 하우징.

빌딩 전체에 주문이 꽉 찬 데다 서로 유기적으로 연결되어 있기까지 하기에 언제 어느 위치에서든 원하는 서비스를 받을 수 있다.

팟!

삽시간에 양복이 사라지고 편안한 활동복으로 갈아입혀진다. 그뿐이 아니다.

[꺄르르~]

[저항하지 마세요~]

물의 정령과 바람의 정령이 나타나 내 몸을 씻기고 지나간다. 나는 삽시간에 뽀송뽀송해진 몸으로 커다란 접속기에 들어갔다.

[계정을 확인 중입니다.]

[신체 데이터를 습득 중입니다.]

[영능 데이터을 습득 중입니다.]

[작업용 소프트웨어. 텍스트 월드를 실행합니다.]

의식이 한순간 확 가라앉는가 싶더니 어느새 탁 트인 숲속으로 이동해 있다. 예전 애용했던 시뮬레이션 소프트. [차크라 개방과 수련]가 그러했듯 가상의 세계라는 게 분명히 느껴지는 세상이지만 상관없다.

완전한 가상현실은 게임을 할 때나 중요하지 학습이나 작업에는 그리 필수적이지 않다.

“원고 왼쪽에 띄워 주고 사이트는 오른쪽.”

나는 가볍게 말로 지시한 후 허공에 떠오른 키보드를 두들기기 시작했다.

매일같이 이어지는 필사.

가상 세계로 들어와 물리적인 형태로 타이핑을 친다는 게 웃기지만…… [의식]으로 텍스트를 쓰는 건 여전히 오류가 많다. 잡념이 텍스트 사이사이에 끼기도 하고 속도 자체도 별로 빠르지 않기 때문이다.

두두두두!

타자 소리를 배경 삼아 원고를 쏟아 내고 그것들을 연재 게시판에 올렸다.

**↳튀긴감자 : 노잼소설 요새 연재 속도 왜이럼? 미친 거 아님?**

**↳정판마니아 : 아니 매일연재라는 게…… 매일 1권씩 연재하는 거였나요. 원래?**

**↳신작사냥꾼 : 와 요새 신인들 연재속도 장난없네……**

나는 연재 속도를 조절하고 있다.

그러나 그 '조절'에는 한계가 있다. 지난 10년간 쌓인 분량이 얼마나 많던가?

심지어 아르데니아의 문학은 그야말로 폭발하듯 성장하고 있다. 예전 공모전에 올라왔던 작품들은 물론이고 신인 작가들의 작품 중에서 엄선된 작품들이 수천 종 이상 쌓인 상황인 것이다.

당연하지만 평균 구매 수는 그리 높지 않다.

연재도 시간을 두고 이루어져야지 단번에 수백 편이 올라오는데 선뜻 손을 댈 수가 없다. 하물며 이름도 모를 신인작가들이 아닌가?

그러나 이미 충분한 인지도를 얻은 작가들은 다르다.

**↳튀긴감자 : 와 요새 너무 좋다 황제기사 매일 1권 연재 ㅋㅋㅋㅋㅋㅋ**

**↳뀨뀨2020 : 아니 미쳤냐고 요새 신작들 연재 속도 보고 자극받은 건가?**

**↳검사 : 아니, 봐도 봐도 소설이 안 끝납니다! 제가 읽는 속도보다 연재 속도가 빠른 거 같아요!**

**↳튀긴감자 : 난 더 빨라도 좋다. 매일 2권 연재 ㄱㄱ**

**↳검사 : 미친놈아ㅋㅋ**

4부에 들어선 황제기사는 여전히 반응이 좋았다. 편수가 어마어마함에도 퀄리티가 별로 떨어지지 않았기 때문이다.

보통 이렇게 수천 편 단위로 찍어 내는 소설은 자기 복제에 늘여 쓰기가 기본이지만 황제기사는 충분한 휴식을 취해 가며 쓴 글이었기에 그런 것도 없다.

**↳별바다 : 게이트 이후(以後) 보셨어요? 진짜 찐명작ㅠㅠ**

**↳버둥버둥 : 판타지 세상에서 작가로 사는 법 말이죠? 와 게이트 드리프트로 개똥망일 줄 알았는데 너무 잘 풀어내시는 거 같아요.**

**↳별바다 : 사이클롭스 사무라이가 이렇게 멋질 줄 누가 알았냐구 ㅠㅠ 드레이크 안 골랐다고 욕해서 미안해 ㅠㅠ**

**↳버둥버둥 : 지혜로운 상남자 젠타경 ㅠㅠ**

새순이 돋을 때도 순항 중이다. 여전히 댓글창은 시끄럽지만 예전처럼 매일 불타는 수준은 아닌 상황.

다만 짐작하던 문제가 언급되기 시작한다.

**↳버둥버둥 : 그런데 이 세계관 그거 맞죠? 리벤지?**

**↳별바다 : 설마 표절인 걸까요? 너무 똑같은데…….**

**↳뀨뀨2020 : 공지 사항 봐봐. 네메시스랑 저작권 협의 했다고 나온다!**

다행히 미리 네메시스 측과 정리한 문제. 다만 예상과 다른 식으로 이야기가 나온다.

**↳버둥버둥 : 아 진짜요? 다행이다…… 그런데 왜 굳이 이런 양판 배경을 활용하죠? 차라리 새로 짜는 게 낫지 않음?**

**↳무적김초코 : 맞아요. 이건 설정을 가져다 써서 오히려 새순이 돋을 때 수준이 떨어지는 거 같은데…….**

**↳뀨뀨2020 : 아니 리벤지 배경이 뭐 어때서!?**

가져다 써도 왜 하필 리벤지냐는 것이다.

심지어 리벤지의 세계관을 차용한 작품은 그 한 작품이 아니다.

**↳리벤자민 : 여로 이 작품도 리벤지 지명이 나오네. 몬스터랑 이종족 설정도 겹치고.**

**↳튀긴감자 : 아니 엘프, 드워프, 수인족에 오크, 오거,**

렛멘 이런 걸 고유 설정이라고 할 수가 있냐? 100년 동안 우리고 우린 공공재 아님?

↳차영춘 : 그렇긴 한데…… 아! 공지 있다. 이것도 허락 받았대.

↳미성검 : 아니 이런 지나가는 설정을 왜 굳이 가져다 씀? 의미가 있나?

↳이숙경 : 작품들 둘러보니 그런 작가들이 의외로 많네요.

↳아니어쩌다 : 네메시스가 웹소설 작가들 후원하는가 본데.

↳튀긴감자 : 네메시스가 왜?

당연하지만 크게 논란이 일이나거나 하지는 않았다. 애초에 리벤지는 표절 시비가 걸릴 정도로 독창적인 세계관도 아니었거니와 심지어 허락까지 받았다는데 뭘 어쩌겠는가?

어쨌든 그렇게, 리벤지의 배경이나 설정을 공유하는 작품들이 많아진다.

"하루에…… 70권. 다른 일을 하면서 이 정도면 나쁘지 않군."

나는 한 작품의 일일 연재 속도를 최대 1권으로 조절 중이다.

바꿔 말하면 하루에 70작품을 동시 연재하고 있다는 뜻!

"와, 어질어질하네."

단지 옮겨 쓰고 있을 뿐이지만 이건 보통 일이 아니다.

매일매일 머릿속으로 쏟아져 들어오는 텍스트가 그야말로 상상을 초월하는 수준!

그러나 명색에 초월자인데 이 정도로 퍼질 수는 없다.

"잠시 쉬어 가겠습니다! 시스템 적용할게요!"

"와, 빠르다 빨라. 겨우 2주째인데 진척도가 어마어마해!"

"재연 님이 진작 계셨으면 재작년에 프로젝트 끝났겠다."

연구원들의 대화를 들으며 생각한다.

'그때는 내가 능력이 없었어.'

어느새 일주일이 지나 네메시스에서의 2번째 작업.

나는 성공적으로 필드 하나를 완성할 수 있었다. 다만 저번에 단번에 구현했던 기가스 랜드는 아니고 영웅급 도시다.

"엘리스 님! 등장 인물 투입해 주세요!"

"그래요. 배역은 뭐죠? 남은 녀석들은 전부 이름을 가진 녀석들이라 하찮은 배역은 지원자가 없을 거예요."

"하하. 설마 리전분들을 상점 주인 같은 거에 투입하겠어요? 신화급 마법사. 차원 방랑자 레드 양입니다."

'어? 레드 녀석 신화 클래스가 추가되었나?'

내가 놀라거나 말거나 엘리스의 주변에 10개 정도의

반딧불이 떠오른다.

"흐음. 인간의 소녀 모습. 그리고 대마법사…… SF-elf 네가 좋겠다."

그녀의 말에 주변에 떠 있던 9개의 반딧불이 항의하듯 마구 반짝거린다.

그러나 그러거나 말거나 엘리스는 얌전한 반딧불이를 잡아 슉. 집어던졌고.

[차원을 방랑하는 대마법사 레드! 여기에 등장!]

"하아…… 들어가자마자 과몰입이야."

"그리고 레드 양은 좀 더 염세적인 캐릭터입니다! 과하게 발랄해요!"

엘리스와 연구원이 디스플레이 속 캐릭터를 갈구는 모습을 보며 멈칫한다.

'아니, 가만…… SF-elf라고?'

눈에 익은 이름이다.

'퍼리…… 아니. 정체불명의 후원자님이다.'

물론 우연일 수도 있다. 엘프도, SF도 흔히 쓰이는 단어이기 때문이다.

그러나 그 두 단어가 붙어 있는 존재가 리전이라면 아무래도 가능성이 높아질 수밖에 없다.

'그래. 좀 기계적인 느낌이 있다 했더니 리전이었군.'

작품 하나가 완결 나는 순간 동시에 추가되던 구매 수와 짧은 코멘트, 그리고 상식적으로 이해할 수 없는 수준의 후원금까지.

그 대상이 리전이었다고 하면 그중 상당 부분이 설명된다.

'물론 리전이 왜 웹 소설을 후원하는지는 알 수 없지만.'

[하잘것없는 인간들. 나, 차원 방랑자 레드 스페이스가……]

"인간인 레드가 하잘것없는 인간이라는 말을 하지는 않을 겁니다. 설정집과 대사집을 업로드할 테니 확인해 주세요."

[아이 참! 캐해석이 너무 빡빡하네!]

나는 화면 속에서 주먹을 붕붕 휘두르는 SF-elf를 보다 말했다.

"제가 생각한 것보다 훨씬 감정적으로 보이는군요."

"연기예요."

훅. 끼어드는 엘리스의 말에 반문한다.

"연기…… 말입니까?"

"정확히 말하면 기본 캐릭터죠. SF 시리즈는 주인이 성격을 설정할 수 있거든요. 활기차 보이고 남성을 유혹하는 멘트를 하더라도 그걸 관심이라고 오해하시면 위험할 거예요. SF-elf는 인간 남성을 너무 혐오해서 치근덕거리는 상대를 죽여 버린 예도 있을 정도니까."

엘리스의 말에 문득 짐작 가는 바가 있었다.

주인이 설정하는 성격.

자연스럽게 남성을 유혹하는 멘트.

인간 남성을 혐오하는 성향.

"설마, SF라는 건……."

"상표명이죠. 섹스 프랜드(Sex Friend). 즉, SF-elf는 섹스 프랜드 엘프 타입을 뜻해요."

"……."

리전은 지성체가 만든 인공지능에 우연과 우연이 겹쳐 탄생하는 기계 생명체다.

그것이 인공지능을 가지고 있다면, 메가씬 같은 슈퍼컴퓨터뿐만 아니라 보통 사람이 사용하던 가전제품에서도 리전은 탄생할 수 있다.

단지 그 확률이 천문학적으로 낮을 뿐…… 선을 넘어서는 문명 어디에서든 나타날 수 있는 게 바로 리전.

그리고 당연하지만.

누군가 돈을 주고 섹스돌을 구매했다면 그것을 진정으로 사랑하고 아꼈을 가능성은 아주 낮다.

'남성 혐오에 시달려도 이해할 수밖에 없는 출신 성분이네.'

그러고 보면 후원자들의 닉네임이 다 그런 쪽이긴 했다.

갤럭시, 오메가, M-4, 알렉산더, SF-Werewolf 등등.

생각해 보면 몇 개는 지구에도 있던 상표명이다.

"조언 감사합니다."

"별말씀을."

새초롬하게 대답하고는 연구원들에게 돌아가는 엘리스를 보며 생각한다.

'후원자라.'

나는 지금 이 순간에도 그들에게 후원받고 있다.

리뷰가 생기고, 광고가 붙고, 독자들이 몰려야 본격적으로 늘어나는 인세와 달리, 그들의 후원은 작품이 완결만 되면 들어온다.

연재 속도를 조절할 필요조차 없는 것이 리전의 후원.

'인기 있는 작품들은 연재 속도를 더 제한하고…… 인기가 없을 게 뻔한 작품들은 폭탄 드랍 해서 후원을 더 노려야겠다.'

리전은 한때 전 우주와도 싸웠을 정도로 강성한 세력이다.

아무리 미친 듯이 작품을 쏟아 내도 후원이 끊길 일은 없을 테니 마음껏 작품을 풀어도 상관없으리라.

"자! 다음은 몬스터입니다!"

쉬는 시간이 끝나고 다시 월드 크리에이터에 접속한다.

내가 형태를 빚어 내면 연구원과 프로그래머들이 거기에 '설정'과 '텍스트'를 입힌다.

전투 프로그램을 삽입해 몬스터가 플레이어를 공격하게 만들고, 스텟과 효과를 추가해 아이템이 아이템으로서 가능하게 한다.

"다시 30분 쉬어 가겠습니다!"

월드 크리에이터에서 로그아웃한다. 몸을 일으키니 프로그래머들을 닦달하고 있는 사랑의 모습이 보인다.

"젠타의 특수 능력은 공포의 시선이 아니라 파괴 광선! 내가 설정 이야기해 줬잖아."

"아니, 레이드 보스도 아니지 않습니까. 게다가 사이클롭스는 현실에도 있는 몬스터인데 이런 괴상한 설정을 굳이."

"……굳이?"

"굳이, 해야지요. 바로 적용시키겠습니다."

여기저기 잔뜩 참견해 설정들을 손본 사랑이 터벅터벅 걸어와 내 옆에 앉는다.

나는 앞에 놓여 있는 커피를 들어 건네주었다.

"뭔가 신경 쓸 게 많은 모양이네요."

"네. 고유 설정이라는 걸 다들 귀찮아하거든요. 그놈의 구현 가성비 때문에 마수도 다 없애고 흔해 빠진 오크, 오우거 이딴 걸로 바꿨는데 이래서야."

"……마수요?"

아르데니아에서 20년이나 살아온 입장에서 묻지 않을 수 없다. 지금이야 몬스터에 밀려 박살이 났지만, 마수라는 것들은 과거 아르데니아의 문화와 세력에 지대한 영향을 주던, 말하자면 환경 그 자체가 아니던가?

이방인에 불과하던 내가 다른 곳도 아닌 착점의 영주가 될 수 있었던 것도 늑대왕 아칼란 덕분이었을 정도로 분명한 존재감을 가지고 있는 것이 바로 마수였었다.

사랑이 답한다.

"네. 리벤지의 원 몬스터 체계예요. 십인마수, 백인마수 이렇게 시작해서 억인마수, 파멸마수 등으로 등급을 만들었었죠."

"좀…… 자세히 들어 볼 수 있을까요?"

"네?"

사랑이 깜짝 놀라 나를 바라본다. 나는 고개를 끄덕였다.

"그 설정이요."

"아, 그 제가. 아니, 리벤지 초창기 때부터 짜여 있던 설정인데. 이게 어떻게 되냐 하면……."

웬일인지 한층 활기차진 목소리로 사랑이 설명을 시작했다.

"아르데니아는 바둑판 모양이잖아요? 그게 제작자로서의 편의성 때문이기도 하지만 설정으로 보자면 세상을 창조한 절대자의 존재를 암시하죠. 태초에 혼돈의 신이 있었는데……."

그것은 그리 특별할 게 없는 설정이다. 양산형 판타지 소설을 보면 흔히 보이는 뻔하디뻔한 설정.

그러나 내게는 아니다.

그녀의 입에서 흘러나오는 것을 아르데니아의 숨겨진 신화이자 세계의 비밀. 그녀의 한 마디 한 마디가 나에게는 너무나 큰 가치를 지닌 보물이었다.

"다시 시작하겠습니다!"

연구원들의 부름에 일을 시작한다.

"다시 30분 쉬어 가겠습니다!"

끝나면 바로 사랑과 아르데니아에 대한 대화를 나눈다.

'대화를 나눴다'고 표현했지만 거의 사랑이 떠들고 나는 듣는 입장이었다. 물론 마냥 듣는 건 아니고 중간중간 막히거나 이해가 가지 않는 부분들을 물어보았다.

"2등급 NPC를 만들어 볼게요!"

"20분 쉬어 가겠습니다!"

다시 작업하고 쉬는 시간에는 사랑의 이야기를 들었다.

사랑은 신이 나서 온갖 설정을 늘어놓았다.

어디에서 자료를 확인하거나 하는 과정은 전혀 없다.

'아, 그렇군.'

그즈음에는 깨달을 수밖에 없다.

'리벤지의 스토리 작가는 배사랑 본인이었던 건가.'

평소의 이미지와 달리 그녀는 어마어마한 설정 덕후에 설명충.

쉬는 시간마다 끝도 없이 아르데니아에 대한 설정이 흘러나온다. 대륙의 배경. 오대신으로 나뉘어 버린 혼돈신이나 세계 밖의 외신과 같은 거대한 이야기부터 대륙의 중요 세력이나 던전의 유래. 중요한 인물 등등.

나는 그녀의 이야기에 홀린 듯 빠져들었다.

그럴 수밖에 없다. 그녀가 바로 내가 살아가는 세상의

창조주가 아닌가?

창조신이 [이 세상 만든 썰 푼다.]라고 하는 수준인데, 그녀의 말을 흘려듣는다는 건 말이 안 됐다.

'못 참지.'

그러나 시간은 무한하지 않고.

"수고하셨습니다!"

"수고하셨습니다!"

업무 시간이 끝났다.

"앗…… 아."

다시 이야기를 늘어놓을 생각에 내 쪽으로 신나서 다가오던 사랑이 깜짝 놀라 멈춰 선다. 모든 업무가 끝나고 내가 다음 스케줄을 위해 이동해야 한다는 것을 알고 있기 때문일 것이다.

"흠……."

잠시 고민했다. 다행히 다음 스케줄은 필사를 위한 시간.

당연히 중요한 시간이지만…… 지금까지 쌓아 놓은 비축분이 워낙에 많으니 하루 정도는 빼도 괜찮았다.

"아, 그, 수고하셨어요. 재연 씨."

"사랑 씨도 수고하셨습니다. 저기, 실례가 안 된다면."

나는 조마조마한 얼굴의 사랑을 보며 웃었다.

"식사라도 같이하시면서 이야기를 마저 들어도 괜찮을까요?"

내 말에 사랑의 입술이 벌어진다. 그녀가 조심스럽게

묻는다.

"저기 다음 일정이 있지 않나요?"

"있긴 하지만."

사랑을 보며 웃는다.

"오늘 하루 빼죠. 사랑 씨는 괜찮을까요?"

내 물음에 묘한 표정이 됐던 사랑이 환하게 웃었다.

"……네!"

우리는 연구소의 사원 식당으로 이동했다.

"억인마수라는 게 어떻게 존재할 수 있습니까? 중세랜드나 다름없는 아르데니아에 그만한 인원이 있을 리는 없는데."

"아! 이게 원래는 게이트가 열리고 몬스터가 쏟아지는 내용 자체가 없었어요. 대신……."

"아하! 꼭 인간을 먹는 게 아니었군요."

밥을 먹으며 계속 대화한다. 다른 연구원들과 똑같은 식단이었지만 그래도 대표라고 더 신경 쓴 반찬이나 음료 등을 먹었다.

"운명의 여신이요? 재미있지 않아요? 설정상 뽑기는 여신과 운명을 겨루는 과정이에요. 영웅이 그녀를 이겨내고 운명을 움켜쥐는 장면을 상징하는 거죠."

"하하. 웃기긴 했어요. 신화급을 뽑으니 여신이 황당해하던 게 참."

식사가 끝나고 후식을 먹는다.

"어우 초반에 버프 이슈 때문에 얼마나 고생했는데요. 이게 전쟁 게임이라 밸런싱이 무너지면 난리가 나는지라……."

"아, 그 두 버프가 그렇게 중첩될 수 있었습니까?"

커피와 음료를 마시며 계속 이야기한다.

시간이 지난다.

모두가 퇴근한 후에도 우리는 계속해서 떠들었다. 사랑이 깔깔 웃으며 리벤지와 네메시스에 관해 이야기했다.

리벤지의 역사. 하루하루 미친 듯 치솟던 매출과 그 매출을 재투자하던 이야기.

나 역시 없던 시절 리벤지의 악독한 과금에 한탄했던 이야기를 했고 사랑은 깔깔 웃으며 맞장구쳤다.

그렇게 우리는 이야기했다.

밤을 홀딱 새고.

조식을 먹기 위해 연구원들이 식당에 돌아오기까지.

* * *

사랑은 재연과 밤새 대화를 나누었다. 성인 남녀가 밤을 지새운 것이지만 야릇한 분위기는 전혀 없는, 그리고 그렇기에 더욱 좋았던 시간.

사랑은 마음이 둥실둥실한 것을 느꼈다. 술 한 잔 마시지 않았는데도 취한 것 같은 기분.

'그냥 밤새 떠들었을 뿐인데 이렇게 재미있을 수가 있

다니.'

배사랑.

그녀는 34지구 최고, 최대의 재벌인 배재석의 딸이다. 금수저, 다이아 수저를 넘어서는 오리하르콘 수저를 물고 태어난 존재.

그녀는 아름다운 외모뿐 아니라 빼어난 지능과 100만 중 하나 수준의 생체력 적성을 가지고 있었고, 사람들의 큰 기대와 함께 엄격한 교육 환경 속에서 성장했다.

그렇게 10년, 20년, 마침내 30년.

재능이 있고, 근성과 성실함 역시 겸비한 그녀였지만 결국 한계가 왔다.

영약과 수련을 병행해도 점차 둔화하는 성장 속도.

아무리 의지를 다잡고 멘탈 케어를 받아도 지쳐 가는 정신.

그리고 그즈음이었을 것이다.

도서관에서…… [판타지] 소설을 발견한 것은.

'충격이었지.'

그저 책 몇 장을 봤을 뿐인데도 미친 듯이 심장이 뛰었다. 오로지 '재미' 하나만을 위한 글은 그녀가 평생 봐 온 그 어떤 책과도 차원을 달리했다.

그녀는 이 놀라운 재미를 주변에 공유했지만, 안타깝게도 반응은 좋지 않았다.

[뭐야, 너. 그런 거 보니?]

[이 나이 먹고 장르는 좀…….]

[이상한 거 보지 말고 미술관에 가자. 요번에 김태곤 화백이 신작을 냈는데…….]

그 누구도 그녀의 즐거움을 이해해 주지 않는다. 그녀에게 존경과 흠모의 눈길을 주던 이들이 오히려 그녀의 취미를 폄하하고 깎아내린다.

그녀가 설정과 세계관에 대해 이야기하면, 그녀를 사랑한다고 속삭이던 사람들마저 짜게 식은 시선을 보냈다.

그들은 잘 숨겼다고 믿었겠지만, 신선들마저 [이쯤 되면 영물이나 어린 신수라고 해도 과언이 아니구나!]라며 감탄했던 그녀의 특별한 눈을 피해 갈 수는 없었다.

그리고 그 때문일까?

'내가…… 만약 누군가와 평생 함께한다면…….'

10시간이 넘는 재연과의 대화는 그녀에게 너무나 달콤한 것이었다.

'이렇게 대화가 잘 통하는 사람이었으면…….'

사랑은 무려 70의 나이에도 관계를 가져 보긴커녕 제대로 된 연애 경험도 없었다.

몇 번 교제를 나눈 적은 있지만 짧으면 1주. 길어도 1달이면 헤어졌고 그 와중에 제대로 된 데이트를 하는 경우도 드물었다.

초조함은 당연히 없다.

세계 1위 재벌 가문이라는 배경, 눈부신 외모, 거기에 상위 0.001% 안에 들어가는 이능력에 홀로 기업 하나를 일군 능력까지.

연애 '못'하는 노처녀들의 흔한 변명과 달리 그녀는 진실로 연애를 '안' 하는 입장이었다. 연애가 우선 순위가 아녔을 뿐이지, 그녀를 향한 남성의 구애는 평생 끊긴 적이 없다.

문제는.

진심으로 마음이 가는 상대를 만난 지금…… 사랑을 '허락'해 주기만 하면 되었던 지금까지와 전혀 다른 상황이 펼쳐졌다는 것이다.

웅성웅성.

연구소가 술렁인다. 아침 일찍 출근한 연구원들이 복도 한편에 모여 속닥거리고 있다.

"왔다! 진짜 왔어!"

"와. 내가 F · D를 실물로 보게 될 줄이야……."

"진짜 예쁘다…… 그, 재연 님하고 F · D 플라워가 사귄다는 말이 있던데 진짜일까?"

"에이. 드래곤인데 설마 그럴 리 있겠어? 드래곤은 인간을 개나 고양이 정도로 본다고 하던데."

우주적인 스타의 등장에 모두가 정신을 차리지 못한다. 심지어 그 프라이드 높은 연구소장마저도 아이처럼 호들갑을 떨고 있다.

"아."

사랑은 먼 거리에서 재연을 둘러싸는 여인들의 모습을 보았다. 드래곤들이 재연을 보는 시선이 뜨겁기까지 하다.

"아니. 왜 말도 없이 외박한 거야? 무슨 일이라도 있는 줄 알고 걱정했잖아!"

하이톤의 목소리로 재연을 추궁하는 것은 레드 드래곤 루비다. 성인으로 보기에는 상당히 작은 체구지만 완벽한 비율과 사랑스러운 외모는 누구도 부정할 수 없는 미소녀의 그것.

"후후. 아직 같이 사는 것도 아닌데 외박이라고 하긴 좀 그렇지."

새까만 흑발의 동양 미녀, 블랙 드래곤 흑요가 웃는다. 볼륨감 넘치는 몸매를 드러내는 올블랙의 정장이 더없이 고혹적인 분위기를 풍긴다.

"그런데 여기가 재연 씨가 일하는 곳이에요? 꽤 신기하네요."

당장 무대를 뛰고 오기라도 한 듯 화려한 드레스를 입은 이는 화이트 드래곤 스노우.

눈이 부실 정도로 하얀 운동화를 신고, 통이 널널한 긴 청바지에 화려한 무늬의 탑탱크를 입고 어깨에 닿을 정도로 길게 흘러내리는 화려한 귀걸이를 한 블루 드래곤 사파이어는 재연의 옆에 어깨를 붙이고 앉았다.
스킨쉽이 너무 자연스러워서 당연하게까지 느껴진다.
'플라워 한 명이 아니다.'
연애 경험이 별로 없다지만 사랑도 여자.
재연과 대화하는 F · D 멤버들을 보는 순간 너무나 분명하게 확신할 수 있었다.
'전부…… 진심이야.'
특히나 자상한 미소를 지으며 그녀와 눈을 마주친 플라워의 시선은…….
"하하……."
믿기지 않는다. 살면서 이런 상황을 생각해 본 적이 없다.
"이게 실화냐고……."

* * *

사랑과 밤새 떠들다가 아침까지 먹은 나는 연구소까지 찾아온 F · D를 보고 깜짝 놀랐다.
'아침부터 행사라도 있나? 이 꼭두새벽에 풀메이크업을 하고 왔네.'
각양각색의 매력을 가진 5명의 미녀가 모습을 드러내자 주변 모든 이들이 숨을 죽인다.
"아침은 먹었어요?"
"아, 네. 여기가 마침 사내 식당이라서요."

"아, 듣고 보니 나도 배가 고프네. 저기요! 실례가 안 된다면 한 끼 먹고 가도 되나요?"

목소리를 높이는 루비 앞에 중년 사내가 달려온다.

초현실 연구소의 연구소장이다.

"무, 물론입니다! 그리고 뵙게 되어 영광입니다! 존 스미스입니다!"

"태양처럼 빛나는 루비입니다!"

"루비 님! 팬입니다! 사인 좀……!"

적막하던 사내 식당이 시끌시끌해진다. 나는 루비뿐만 아니라 나머지 멤버들도 돌아가며 사람들을 상대하는 걸 보고 헛웃음을 지었다.

'팬 관리를 하긴 하네. 꺼지라고 할 줄 알았더니.'

그렇게 생각하고 있을 때였다.

"야옹! 야옹! 야옹! 야옹!"

갑자기 체다가 울기 시작한다.

"아니, 몇 번을 우는 거야?"

체다는 기본적으로 모르는 번호에는 반응하지 않는다. 즉, 등록된 상대의 연락만 받는다는 것인데 그 몇 안 되는 예외들이 동시에 연락하다니?

놀라서 체다를 확인한다.

**부재중 통화 : 17건.**

**[우주제일미남 : 재연이 너 괜찮아? 방송국하고 이야기**

**된 거야?]**

**[혜영 : 재연 씨 방송 확인하셨나요? 혹시 문제가 있다면 제게도 말씀해 주세요.]**

**[충격가슴 : 재연! 지금 난리 났어!]**

"……무슨 일이지?"

의아해하는데 내 그림자가 벌떡 일어난다.

웅!

그림자는 잠시 꿈틀꿈틀하더니 이내 은하계처럼 수많은 별빛을 품은 흑발의 미남으로 변했다.

F · D의 매니저인 쉐도우 드래곤 어둑서니였다.

"어둑서니 님?"

"재연. 공격이다."

"네?"

전혀 이해할 수 없는 말이다. 여기가 아르데니아도 아니고 누가 누구에게 공격을 가한단 말인가?

'몬스터 사태가 터진 것 같지는 않은데.'

의아해하는 내게 어둑서니가 가볍게 손짓했다.

팟!

날아드는 정신파를 저항하지 않고 받아들이자 십수 개의 화면이 머릿속에 떠오른다.

[미친놈이었죠. 괜히 별명이 미친개였겠어요? 아무한

테나 시비 걸고 다니고 빽하면 주먹을 드는 녀석이었습니다.]

[솔직히 초월자가 돼서 돈도 많이 벌었을 텐데 부모를 부양 안 한다는 게 말이나 되나? 부와 명예를 얻어 봐야 근본이 글러 먹었다는 말이지!]

[경찰서에 들락날락하는 게 일이었지. 처벌? 그런 건 없었어! 아주 교활해서 정의신님의 빈틈을 다 알고 있다니까!]

그것은 방송이었다. 인터뷰를 중심으로 한 다큐멘터리.

나는 인터뷰에 등장하는 인물들을 보았다. 군대 선임, 아버지와 함께 다니던 패거리, 나에게 얻어맞았던 일진과 조폭.

[그래요. 그 녀석이 제 남편을 죽였죠…… 그 이후예요? 한 번도 본 적 없어요. 연을 끊은 거죠.]

그리고…… 어머니.

그녀는 내가 생각했던 것보다 훨씬 좋은 안색에 좋은 옷을 입고 있다. 내 기억 속의 모습과 그녀가 같은 점이 있다면, 원망과 짜증이 가득한 표정뿐이리라.

"……체다."

나는 즉시 체다를 불러 인터넷을 켰다.

여론은 좋지 않았다.

**↳호환마마 : 결국 어머니를 내팽개친 건 사실 아닌가? 한 번도 안 찾아온 걸 넘어서 연락을 해도 무시했다잖아. 몇 번을 찾아가도 면박을 주고 내쫓기까지 했다니.**

**↳브레이브 : 초월자쯤 되면 여유 충분할 텐데 경제적 지원을 하나도 안 한 것도 좀…… 게다가 자기도 이민자 출신인데 이민자들을 차별했다는 정황도 너무 분명하고.**

**↳펭귄위키 : 한재연이 경찰서에서 출두한 횟수는 11회이다. 전부 훈방조치 되었다 해도 어린 나이에 경찰서에 11번이나 출두하는 상황은 절대 정상이 아니다.**

나에 대해 비판적인 기사가 우르르 올라오기 시작한다. 게임신의 사도이자 34지구에서 탄생한 3번째 초월자는 모두의 관심을 끌었을 테니 이만큼 핫한 소재는 흔치 않겠지.

내 배경이 배경인데 이럴 수 있냐 싶겠지만 34지구의 언론 자유도는 최고 수준이라 그 어떤 외부 압력도 먹히지 않는다.

"아니, 이게 뭐야? 이 건방진 것들이 미쳤나!"

화륵!

루비의 새빨간 머리칼에 불이 붙었다.

"방송사 어디야!? 내가 당장 찾아간다!"

그녀가 버럭버럭 할 때마다 입에서는 불꽃이 토해지는 모습에 고개를 저었다.

"참으세요. 그러다 체포됩니다."

내 말에 스노우가 고개를 절레절레 흔든다.

"아니…… 34지구에 대해 알고 있었지만 이건 진짜 문화 충격이네요. 언론 따위가 초월자를 이렇게 개인적인 문제로 공격하다니. 다른 문명이었으면 집단 전체가 몰살을 당할 일입니다."

흑요도 어이없다는 듯 싸늘한 표정을 짓는다.

"게다가 고작 이런 다큐 한 번에 여론이 확 쏠리다니 이게 말이 되는 건가?"

나는 고개를 끄덕였다.

"말이 됩니다. 여기가 34지구니까."

34지구 사람들은 뉴스나 다큐에서 아무리 허무맹랑한 말이 나오더라도 대체로 믿는 편이다.

진실신이 존재하는 세상.

언론은 절대 거짓을 말할 수 없다. 물론 진실을 말하지 않는다거나 주제의 순서를 바꾼다는 식으로 사람들을 우롱할 수는 있지만, 적어도 그들이 뭔가를 주장했다면 적어도 그 주제에 한 해서는 진실일 수밖에 없다는 강한 믿음이 존재한다.

그리고 그것은 34지구 언론이 가진 아주 강력한 무기.

그 기반이 팩트라면 언론은 누구에게든 그것을 휘두를

수 있고, 적어도 지금 언론이 주장하는 바는 대체로 사실이었다.

"아, 이런…… 이런 일이."

"어쩌죠? 이거 상황이 생각보다……."

"주주들의 항의가 빗발치고 있습니다."

이제야 기사와 뉴스를 확인한 연구원들이 수군거리는 소리를 들으며 생각을 정리한다.

'언론이 스스로 나를 타깃으로 잡아 공격했을 리는 없다.'

내가 양아치처럼 살아왔다는 사실은 딱히 대단한 비밀도 아니다. 물론 부모님에 관한 이야기는 아주 민감해 다루는 이들이 없었지만…… 그렇다 하더라도 알 만한 이들은 다 알고 있었으리라.

그런데 그것이 이제 와 갑자기 터져 나온다?

'어둑서니의 말대로군. 이건 공격이다.'

나에게 악의를 가진 단체가 움직이고 있다. 그것도 본격적이고 대대적으로.

그리고 내가 알기로 이런 짓을 벌일 단체는 하나뿐이었다.

'천상회(天上會)…… 미치기라도 한 건가? 이렇게 나를 자극해서 뭘 어쩔 생각이지?'

이해할 수 없는 일이다. 이런 논란이 내 이미지에 큰 타격이기는 해도 실제로 날 파멸시키거나 할 수는 없는 일이었기 때문이다.

이건 마치, 나를 분노하게 만들려는 수작 같지 않은가?

'뭔가, 뭔가 큰 음모라도 있는 건가?'

그렇게 생각할 때였다.

[죄를]

기계적인 정의가.

[너에게 새기리라.]

나에게 임했다.

화끈!

내 볼에서 느닷없는 작열통이 느껴졌다. 지금의 내가 인두로 피부를 지져도 고통을 느끼지 않는 초인이라는 사실을 생각해 보면 실로 말이 안 되는 이야기.

"재연 씨?"

"이게 무슨……."

당황하는 F · D의 반응에 체다를 허공에 띄워 거울 모드를 작동시킨다.

그리고 보았다. 내 볼에 새겨진 문신.

[죄의 낙인]을.

"이런 미친……."

그것은 목을 매달고 죽은 사내의 모습을 가지고 있다. 두말할 필요조차 없이, 그것은 자살한 아버지를 형상화한 것이다.

“죄의…… 낙인!”

“근친살해의 대죄……!”

사람들이 술렁거리는 소리가 들린다. 그만큼 엄청난 사건이기 때문이다. 다들 말로만 들었지 도시 어디에서도, 영화나 드라마에서도 잘 나오지 않는 게 바로 죄의 낙인인데 연예인에 초월자인 나에게 죄의 낙인이 찍힌 것이다.

나는 인상을 찡그렸다.

‘이게…… 이제 와서?’

말이 안 되는 일이다. 있을 수 없는 일이었다.

지금까지 낙인 비슷한 것도 없던, 그것도 20년이 더 지난 일이 [죄]가 된다니. 내가 이해하고 있는 정의의 기준과 맞지 않는다.

‘정의신에게 문제가 생겼나? 다른 차원의 신이 쳐들어오지 않은 이상 있을 수 없는 일인데.’

삼신. 그러니까 정의신, 진실신, 명예신은 중급 신위를 가진 존재지만 그들이 실제로 휘두르는 권능은 상급 신에 필적한다. 그들은 자신이 가진 힘의 방향성을 제한한 일종의 ‘시스템’이 됨으로써 스스로의 권능을 강화했기 때문이다.

"그만! 너희 지금 뭐 하는 거야? 설마 재연 씨를 체포라도 하려고?"

사랑의 날카로운 목소리에 내 쪽을 향해 다가오던 경비원들이 난감한 표정을 짓는다.

"하지만 사장님. [죄인]은 최소 구금되기라도 해야 합니다. 난폭한 취급을 하지는 않을 테니……."

그러나 사랑을 설득하려 드는 경비원들의 손에는 이미 권총, 장검, 거울이 들려 있다.

그것은 어지간한 특급 마법기보다도 강한 정의신관들의 아이덴티티.

'정의무구(正義武具). 저스티스 웨폰(Justice Weapon).'

사랑이 그들의 모습에 혀를 찼다.

"허튼짓하지 마. 설마 정의무구를 들었다고 너희가 재연 씨를 체포할 수 있기라도 하단 말이야?"

"지금 그 발언…… 너무나 위험한 말씀이십니다. 사장님, 체포에 불응하시면 죄가 오히려 더 커질 거예요."

"이야…… 이거 가만 가만히 있으니까 우리가 존나 가마니로 보이는 모양이네? 34지구가 초월자 우습게 보는 건 알았지만 별꼴을 다 봐."

"진짜 궁금하긴 하네. 우리 다섯 명이 작정하고 난동을 피워도…… 진짜 체포되나? 게임 마스터가 직접 나서지 않아도?"

F · D가 으르렁거리며 정의신관들의 앞을 막아선다.

고집불통이기로 유명한 정의신관이라도 그 앞에서는 발걸음을 멈출 수밖에 없다. 하물며 그들은 검찰청의 검사가 아닌 연구소의 경비원이 아니던가?

그러나 이대로 싸움이 일어나면 문제가 심각해진다는 걸 알고 있는 사랑이 앞으로 나서 그들을 말린다.

"진정하세요. 그리고 너희. 기회가 나타났다고 섣불리 움직이지 마. 이건 누가 봐도 이상한 상황이라는 걸 몰라?"

"하지만……."

"정의를 거스르겠다는 게 아니라 정확한 상황을 파악하자는 거야! 게다가 이 낙인을 봐! 말이 좋아 대죄지 크기가 별로 크지도 않아! 초월자를 적대할 정도의 성장은 절대 일어날 수 없어!"

그녀가 경비원들을 설득하고 있을 때였다.

고오오-!

연구소 밖에서 마나가 일렁인다. 긴급 텔레포트였다.

'아, 설마 진짜 검찰청이 움직였나?'

급변하는 상황에 인상을 찡그릴 때 사내 식당의 문이 열리고 거대한 덩치의 사내…… 아니, 거대한 덩치의 북극곰이 모습을 드러낸다.

"천현일 청장이다!"

"낙인 때문에 온 건가?"

"아니, 낙인 문제면 검찰청장이 와야지 왜 용병청장이……."

당혹스러워하는 연구원들을 보며 천현일 청장이 말한다.

"용병 관리법 5조 3항에 의거 우주 용병 한재연을 긴급 관리에 들어갑니다. 관련 내용은 용병 관리청 홈페이지에 게시될 테니 확인 부탁드립니다."

그렇게 말한 천현일 소장이 내게 다가온다.

"넌 또 뭐야?"

루비가 인상을 쓰며 그 앞을 가로막는다.

중학생에 불과한 신장의 루비와 건장한 덩치의 백곰 사이에는 어마어마한 덩치 차이가 있었지만, 기세에서는 별 차이가 나지 않는다.

"F · D 님이군요. 노래를 잘 듣고 있습니다."

"나도 예능이랑 다큐 둘 다 챙겨 보는 편이야."

작은 소녀와 거대한 북극곰이 서로를 마주 본다. 그리고.

짝!

손과 앞발이 마주치고 루비가 길을 비킨다.

현일이 말했다.

"가지. 여기 오래 있어서 좋을 것 없다."

"……그러죠."

천현일 소장이 오색으로 빛나는 용병 등록증을 꺼낸다.

나 역시 검은색 용병 등록증을 꺼내고.

파앗!

공간을 넘는다. 어느새 나는 용병 등록을 할 때 방문했던 현일의 사무실에 들어와 있었다.

"여기가 그 소문의 용병 관리청이군요."

"진짜 주변에 산뿐이네……."

"와! 저거 우주 괴수 사체 아냐?"

다만, 이동한 것은 나와 현일만이 아니다.

내 주위에는 F · D 멤버들이 함께 자리하고 있다. 놀랍게도 그녀들은 우리의 공간 이동에 편승해 날아온 것이다.

"알려진 것보다 마법 능력이 더 뛰어나시군요."

"틀림없는 사실이니 부정하지는 않을게요."

'후후'하고 웃는 사파이어. 잠시 주위를 둘러보던 플라워가 진지한 태도로 묻는다.

"그래서 지금 이 상황은 뭐죠? 위명이 쟁쟁한 정의신의 시스템이 어처구니가 없는 판결을 내렸는데."

플라워가 내 얼굴을 본다. 정확히는 거기에 박혀 있는 낙인을 본 것일 터다.

"후…… 다행히 짐작 가는 이유는 있소."

현일이 허공에 손짓하자 그 앞으로 홀로그램이 떠오른다.

그것은 거대한 함선으로 그것이 땅에 내려서자 그 안에서 무수히 많은 사람들이 우르르 모습을 드러낸다.

"이건."

"초대형 이민 선단. 에덴3이다. 몬스터 사태로 멸망하거나 탈출한 문명의 이민자들을 옮기고 있지."

34지구는 여전한 평화를 유지 중이지만…… 이것은 아

주 예외적인 케이스일 뿐. 수많은 문명과 세력들이 몬스터 사태로 고통 받고 있다.

그리고 개중 상당수는, 멸망의 위기로 마주하기도 한다.

“용병들은 지금 이 순간에도 그들을 구하고 있어. 그리고 개중 상당수를 이곳으로 데려왔지. 새로운 이민자가 대거 추가된 거야.”

현일의 말에 문득 떠오르는 게 있었다.

“잠깐만요. 설마 추가된 이민자의 수가…….”

“현재까지 23억 명이다.”

“와. 그래 봐야 행성 하나인데 엄청난 규모네.”

“34지구 여력이 대단하긴 하군요.”

감탄하는 F · D 멤버들과 달리 나는 문제가 뭔지 깨달았다.

“물을…… 탔군요.”

“그래.”

정의신의 판결은 어딘가에 몰래 만들어 둔 거대한 법전에서 나오는 결과가 아니다. 만일 그런 식이었다면 34지구가 지금처럼 평화로이 유지되지 못 했겠지.

정의신의 기준은 아주 간결하다.

[남]이 보는 시선.

34지구에 편입된 모든 지성체는 영계, 혹은 성역이라 할 만한 영적 공간에서 스스로가 남자인지, 여자인지, 기독교인지, 이슬람교인지 알 수 없게 되는 [무지의 장막]

이 씌워진 채로 서로의 죄를 판결한다. 그리고 거기에서 과반수를 넘어서는 이들이 죄악이라고 판결해야 마침내 죄악이 [낙인]으로 찍히는 것.

정의신의 심판이라 흔히 부르지만…….

사실 판결을 내리는 것도, 받는 것도 인간이다.

[남]의 죄악이기 때문에 이해득실에 상관없이 판단을 내리고.

[내] 일일지도 모르기 때문에 너무 가혹한 기준을 적용하지 않는 것.

이 방식은 거의 완벽해서 34지구는 우주에서도 거의 찾아보기 힘들 정도의 치안 수준과 드높은 신뢰 지수를 가지고 있다.

다만 세상에 정말로 완벽한 시스템은 없는 법이어서 이 [무지의 판결]이라 불리는 시스템에도 약점이 존재한다.

결국 인간의 인식에 영향을 받는다는 약점이.

'새로 투입된 이주민 놈들이…… 판결을 가혹하게 틀어버리고 있다.'

누군가 술을 마시고 음주 운전을 하다 가로등을 들이박는다.

이 경우 그는 수십, 어쩌면 수백만 원의 벌금을 물게 된다.

이는 법적인 처벌.

그러나 누군가는 이렇게 주장할 것이다.

'음주 운전은 살인 행위나 다름없다! 그는 예비 살인마이니 살인 미수로 처벌하여야 한다!'

이는 주관적인 기준이다. 그 누군가는 음주 운전자가 직업도 잃고 아예 인생이 파멸하기를 바랄 수도 있는 것이다.

'그리고 생각보다 그런 사람이 많지.'

물론 그 자체가 잘못된 것은 아니다. 그런 잣대 또한 있을 수 있으니까.

그런데 그렇게 주장하던 사람이 본인이 음주 운전을 하게 되면 이야기가 달라진다.

'딱 한 번 실수로 그런 것이다!'

'피해자가 있는 것도 아니지 않나!'

'상황상 어쩔 수 없었다!'

이는 그 사람이 특별히 사악해서 나오는 결과가 아니다.

인간은 원래 이기적인 동물.

남에게는 지독히 깐깐한 이들도 자신에게만은 한없이 너그러운 법이고, 반대로 자기 일이 아니라는 확신이 선다면 엄벌주의는 끝도 없이 잔인해질 수 있다.

누군가 주차를 함부로 한다는 이유로 그가 죽길 바라는 게 바로 사람인 것이다.

"……그럼 낙인이 생긴 게 저 한 명은 아니겠군요."

"그래. 정의신을 오염시킨……. '엄벌주의'가 죄가 아니던 일을 죄로 만들고 있다."

새로 34지구에 들어온 이민자들이 아버지를 때려눕혀 자살하게 만든 내 행동을 죄라고 판단했듯이, 과반수에 살짝 못 미치던 다른 사람들의 죄 역시 낙인으로 새겨진 상황.

흑요가 현일을 보며 혀를 찼다.

"뭐야. 그럼 지금 이 사태에 용병청도 큰 책임이 있는 것 아닌가? 무턱대고 이민자들을 구해 오니 이런 사태가 벌어지지 않나?"

"변명하자면 단지 이민자의 문제는 아닙니다. 수억에 불과하던 34지구의 인구가 110억이 되기까지…… 대규모 이민자는 몇 번이고 있었으니까요."

즉, 다른 문제가 있다는 뜻이다.

무엇보다 나를 노린 다큐멘터리의 경우는 우연한 타이밍이라기에는 너무나 공교롭다.

"누군가의 악의가 끼어들었다?"

"그래. 그것도 꽤 오랜 시간 동안 준비된…… 잠시만."

현일이 자신의 눈앞으로 날아드는 가오리의 배를 툭툭 친다.

"……역시. 요번에 넘어온 이주민들에게 재연의 다큐멘터리를 틀어 준 정황이 포착되었어. 이민자 의원회의 짓이군."

"이민자 의원회라면……?"

플라워의 말에 현일이 대답한다.

“기존의 이민자들로 이루어진 단체입니다. 이민자들의 수가 워낙 많아서 그들을 통제하기 위한 일자리를 그들에게 할애했다고는 들었지만 어째서 이런 테러나 다름없는 짓을…….”

어이없어하던 현일의 표정이 굳는다.

“왜 그러십니까?”

내 물음에 현일이 아무 말 없이 벽을 가리킨다. 그의 손짓과 함께 한쪽 벽이 통째로 디스플레이가 되어 뉴스 채널을 띄운다.

**[충격적인 대학살!]**

**[피해자 3만 2천여 명!]**

**[정의로운 살육!?]**

“무슨 소리야? 학살이라니?”

“적이라도 쳐들어왔나요?”

F · D멤버들은 상황을 파악하지 못하고 의아해했지만 34지구 사람인 나는 현일과 마찬가지로 대번에 상황을 파악할 수 있었다.

“……야단났군.”

내게 죄악의 낙인이 새겨졌을 때.

고작 경비원에 불과한 정의신의 사제들조차 내게 적의를 보였다. 다른 사람도 아닌 초월자인 나를 상대로도 그랬는데 다른 사람에게는 어떻게 했겠는가?

'정의신의 사제는…… 정의를 수행함으로써 사제로서의 등급을 높일 수 있지. 심지어 정말 빠른 방법은 따로 있다.'

바로.

'[악인]을 죽이는 것.'

* * *

시간이 지났다.

일주일이 정신없이 흘렀음에도 34지구의 혼란은 그치질 않았다. 사바에서 수많은 토론과 논쟁이 벌어졌고 셀 수 없이 많은 시위와 고소 고발이 있었다.

[정의신은 각성하라!]

[억울한 처벌에 대해 공개적으로 사죄하라!]

[이민자들의 원통한 죽음!]

[검찰청은 사제를 싸고 도는 행위를 멈춰라!]

[목숨에는 목숨으로!]

[이민자의 권리를 보장하라!]

광화문 광장에 기습적으로 모인 무지막지한 인파가 목이 터져라 외치고 있다.

그들이 든 팻말에는 이런 글자가 쓰여 있었다.

**-정의는 누가 심판하는가?**

비장하고 엄숙한 분위기였지만 그 시위 장면을 보는 내 입장에서는 헛웃음이 나올 뿐이었다.

'거 참, 아르데니아식이면 벌써 다 해결되었을 텐데.'

아르데니아에서의 10년 동안, 여러 번의 수작질들이 있었다.

귀족들이 모여 정치 세력을 만들기도 했고, 길드들이 무력을 앞세워 패악질을 벌이기도, 상인들이 교묘히 담합해 시장 질서를 어지르기도 했다.

이들에 대한 해결법은 의외로 간단했다.

'박살을 내면 그만이니까.'

정치는 힘이 부족할 때나 고생이지, 힘만 충분하다면 모든 문제를 깔끔하게 해결할 수 있다.

끝없는 금력, 누구도 거스를 수 없는 권력, 초월적인 무력이 있으니 아무리 공들인 수작질이라 해도 어린애 투정에 불과하다.

'물론 34지구에서 그렇게 할 수는 없겠지. 인권이 있는 곳이니.'

그러나 34지구와 인류제국은 가장 본질적인 면에서 그리 크게 다르지도 않다.

저 이민자 무리들은 자신들이 할 만한 싸움을 하고 있다고 판단한 모양이지만, 그저 세상 물정 모르는 멍청이들의 크나큰 착각이다.

"재연아~ 뭐해?"

그때 배꼽이 보이는 짧은 티셔츠에 달라붙는 트레이닝 팬츠를 입은 루비가 트레이닝실로 내려왔다.

작은 체구지만 완벽한 비율과 굴곡은 탄탄한 여성미를 뽐내고 있다.

'날이 갈수록 피부가 많이 드러나는 거 같은데.'

그렇게 생각하며 고개를 끄덕인다.

"가볍게 몸이나 풀고 있지."

그그긍…….

나는 헬스 기구 전문 업체의 야심작, 바디 헬(Body Hell)에서 빠져나왔다. 최고 단계로 걸어 두니 고작 1시간 했을 뿐인데 땀이 비처럼 쏟아지고 온몸에서 수증기가 피어오른다.

환기 시스템이 아니었다면 트레이닝실에 안개가 자욱했을 것이다.

'아, 역시 단련은 지구에서밖에 할 수 없군.'

아르데니아의 과학과 마법은 '정답지'의 힘으로 하루가 다르게 발전하고 있지만, 아무리 그래도 초월자용 헬스 기구를 생산할 정도는 아니다.

매일매일 기가스를 분해해 역설계하는 드워프들이 수

급 기가스를 생산하게 될 때쯤에야 비슷한 물건을 만들 수 있겠지.

그렇게 한탄하고 있는 내 대흉근에 루비가 손을 올린다.

"와…… 근육 봐."

"뭘 조물조물하고 있어."

"츄릅……."

"루비?"

"핫! 아냐, 아냐! 나도 한 몸 하는 편인데, 눈을 못 떼겠네. 진짜 멋진 몸이야."

스타 드래곤과 계약을 맺고 숙소를 옮기면서 F · D 멤버들과는 자연스레 가까워지게 되었다.

'늘 생각하는 거지만.'

이번엔 복근을 조물조물하는 루비를 보며 생각했다.

'왜 이렇게 호의적이지? 유혹하는 느낌도 너무 잦고. 다섯이서 뭔가 합의를 한 것 같기는 한데…….'

초월자라는 존재는 기본적으로 에고가 강할 수밖에 없고 특히나 드래곤쯤 되면 오만하고 예의 없기로 유명하다.

괜히 '오만의 드래곤'이라 부르겠는가?

그러나 F · D는 그런 게 전혀 없다.

원래부터 친절한 성격이라 알려진 스노우와 플라워는 물론이고, 예의 바르나 차가운 성격이라는 사파이어도, 과묵하기로 유명한 흑요도, 귀여운 외모와 달리 폭급하다고 알려진 루비마저도 너무나 친절히 모든 일에서 나를 배려해 준다.

'솔직히 좋기는 한데 영문을 모르겠네.'

스타 드래곤에서의 생활에는 조금의 아쉬움도 없다. 각양각색의 매력을 지닌 5명의 미녀가 나를 아끼고 사랑해 주고 있으니 어찌 그런 게 있겠나?

영웅의 정신을 가진 인간을 좋아한다고는 듣긴 했지만 내가 딱히 영웅의 정신을 가졌는지도 잘 모르겠고……. 설사 가지고 있다고 가정하더라도 좀 심한 것 같다.

"웃차."

"루비. 땀 많이 났어."

"뭐 어때. 극의지체 땀에는 노폐물 없어."

나는 내 허벅지 위에 앉은 루비의 머리칼을 쓰다듬었다. 생체인자를 조절할 수 있게 되어 생체인자 유출을 최소화하게 된 내가 끊임없이 육신을 단련한 결과, 키가 2미터 10센티까지 자라고 체중이 280킬로그램까지 불어 작은 체구의 루비는 그야말로 품에 쏙 들어온다.

'그나저나 일정을 이제 어쩐다…….'

고민하며 뉴스 채널을 본다. 34지구 인구의 과반수를 옛날 옛적에 넘긴 이민자들이 정치 세력화하고 있다는 내용이다.

"재연 씨."

그때 트레이닝실로 플라워가 들어온다.

레깅스에 품이 넉넉한 티셔츠를 입은 그녀가 루비를 보고 말했다.

“루비. 너무 착 달라붙어 있는 거 아니야?”

“마침 쉴 타이밍이었어. 플라워도 운동하려고?”

“그건 아니고. 재연 씨 손님이 와서.”

“손님이요?”

스타 드래곤의 [타워]에 머물게 되면서 귀찮은 접촉에서 완전히 자유로워진 상태다.

그도 그럴 것이 초월자가 여섯, 아니 이제 나를 포함해 일곱이나 있는 타워에 함부로 접촉할 수 있는 존재는 34지구에서도 흔치 않기 때문이다.

타워에는 자체적인 게이트가 자리하고 있는 데다 리콜 마법진도 있어서 문 앞에서 대기하고 있어 봐야 아무런 의미가 없다. 불법 침입이나 염탐은 말할 가치도 없을 테고.

“네. 이번 낙인 사태에 관련에 할 이야기가 있다더군요.”

“……대충 누군지 알겠군요.”

나는 내 허벅지에 앉아 있는 루비를 치운 뒤 가볍게 씻고 옷을 갈아입었다.

5층의 휴게실로 이동하자 건장한 체격을 가진 두 명의 사내와 반짝이는 금발을 가진 백인 여성이 보인다.

경지는 제법 뛰어나서 8클래스는 되어 보이지만.

‘흠. 이제 알겠군. 일종의…… 뻥튀기된 역량이야. 8클

래스가 좀 많다 싶더라니.'

이제는 확인할 수 없지만, 예전 영화 촬영지를 습격했던 8클래스 마법사 브람도 이런 경우였을 것이다.

특수한 시술, 술법, 혹은 영약 등으로 경지를 끌어올린 경우.

'꽤나 비싸서 이렇게 찍어내듯 올릴 수는 없을 텐데……. 그런 게 있을 수가 있나?'

있다면 아르데니아에서 써 보고 싶다고 생각하며 입을 연다.

"낙인 사태에 대해 할 말이 있다고 하시던데."

바로 본론으로 들어간다.

나는 사회생활을 중시하는 스타일이지만 이들은 그 대상이 아니다.

"무례하군요. 그래도 인사 정도는 할 줄 알았는데."

"한재연이다."

간단한 대답에 여인의 눈매가 뒤틀렸다.

빼어난 미모를 가지고 있음에도 가면 같은 표정 때문에 가식적인 인상을 가진 그녀는 들고 있던 홍차를 내려놓았다.

그녀의 뒤에 서 있던 사내가 말한다.

"위대한 미합중국의 여왕이자 신앙의 수호자이신 엘리자베스 5세의 앞이요. 그래도 98지구 출신이라면 최소한의 예의를 갖추어 주시오."

“천상회 또 너야? 이 잡것들 어떻게 하나…….”

한숨이 절로 나온다. 짐작이야 하고 있었지만, 정말 짐작대로라니.

내 한탄에 그녀의 왼쪽에 서 있던 사내의 얼굴이 험악해진다.

“이런 건방진! 알량한 힘을 가지게 되었다고 근본조차 배신한 역적 따위가 어…….”

“어디서…….”

흑단 같은 머리칼이 찰랑인다.

어느새 내 옆에 앉은 흑요가 요염하게 웃는다.

“감히 목소리를 높이지?”

쿠웅-!

강대한 기세가 퍼져 나간다. 난폭한 야수의 아가리에 목을 내밀고 있는 듯한 싸늘한 살기.

기세등등하게 소리치려던 사내들이 입을 다문다. 한껏 여유로운 표정을 짓고 있던 엘리자베스라는 여자의 안색 역시 창백해졌다.

‘한심하군.’

98지구는 과학과 마법 모두 발달한 세상으로 34지구만큼은 아니어도 고위 능력자가 꽤 있는 세상이었다.

다만 초월자는 없었다.

그저 불행히 그만한 인재가 없었는지 아니면 다른 이유가 있었는지는 알 수 없지만…… 어쨌든 그 덕에 이들은 초월자라는 존재를 그리 진지하게 생각하지 않는 듯하다.

8클래스와 9클래스가 고작 한 계단 차이라고 착각하는 것이다.

"너무 그리지 마요, 흑요. 좀 개념이 없을 뿐인데."

내 말에 흑요가 웃는다.

"후후. 초월자라고 하면 머리부터 박는 문명도 여러모로 꼴 보기 싫었지만…… 이건 이것 나름대로 짜증이 나서 그만. 끼어들어서 미안. 난 신경 쓰지 말고 이야기해."

그렇게 말한 흑요가 내 다리는 베고 눕는다. 눈앞의 녀석들은 안중에도 없다는 태도.

나는 그녀의 어깨를 토닥이며 고개를 돌려 엘리자베스를 바라보았다.

"너희가 날 간절히 보고 싶어 했다는 것쯤은 안다. 직접 찾아오기도 했고, 어머니를 빌미로 연락도 죽어라 보내더군."

그러나 그 어떤 것도 소용이 없었다. 나는 극소수의 지인들과만 연락했고 외출도 거의 하지 않았다.

산책이나 운동을 다니지도, 집 앞 식당에도 모습을 보이지 않으니 녀석들 처지에서도 도저히 방법이 없었을 것이다.

아무리 원룸에 불과하더라도 서울 한복판에 있는 건물에 불법 침입할 수는 없는 일 아닌가?

하다못해 복도에조차 나서지 않던 나니 더욱 그렇다.

"……당연한 일입니다. 스스로의 힘으로 성공한 98지구의 자랑스러운 인재가 아닙니까? 무력감에 빠진 이민자들에게……."

"얼굴로 쓸 생각이었군."

"……."

지금 이 [정의 사태]는 오래전부터 준비되었을 것이다. 정의를 오염시키는 과정은 그만한 시간과 리스크를 동반하는 과정이기 때문이다.

오염된 정의, 폭주한 정의신의 사제들.

이는 큰 사회적 반향을 일으킬 만한 사건이고 실제로 수많은 이민자가 거기에 휩쓸렸다.

그러나 사회적 사건에는 그에 걸맞은 구심점이 필요한 법.

이민자들이 자신의 권리를 주장하며 떨치고 일어났을 때 그 앞에 98지구 출신, 그러니깐 이민자인 초월자가 앞서고 있었다면 그림이 얼마나 아름다웠을까?

이미 한 번 실패한 포섭을 초월지경에 도달한 이후 다시 시도한 것은 어쩌면 당연한 흐름일지도 모른다.

"궁극적인 목적이 뭐지?"

"……돌아가겠습니다. 말이 통하지 않는군요."

"목적."

"……!"

순간 엘리자베스의 눈이 풀린다.

'안이하군.'

이게 함정이 아닐까 하는 의심이 일어날 정도의 안이함. 이 녀석들은 초월자의 위압에 대해 너무 막연하게 생각하고 있다.

천상회에서도 가장 높은 자리를 차지한 녀석 중 하나라고 할 수 있는 녀석이 고작 수하 둘을 데리고 범의 아가리, 아니 용의 아가리에 들어왔으니 이들의 오만함이 얼마나 대단한지 알 법하다.

'가장 위험한 곳에 들어가 담판을 짓는 자신의 모습을 상상했겠지.'

또한, 이는 정의신을 믿은 행동이기도 하다. 적의 아가리에 들어가더라도 거기에서 어떤 일을 당할 리는 없다는 확신.

하지만 웃기는 일 아닌가? 그 빈틈을 찌르고 무너트리려 하면서 정의신을 이토록 믿다니.

그렇다면 내가 할 일은 우물 안 개구리의 확신이 얼마나 보잘것없는 것인지 알려 주는 것이리라.

"……유다……."

"뭐?"

내 압박에 엘리자베스의 눈이 확 치켜떠진다.

"자유! 신으로부터의 자유를 원했다!"

압박에 무너져 버린 엘리자베스가 소리친다.

"민주주의라고, 파라다이스라고 자랑스럽게 말하면서

34지구의 기득권은 자신들의 어떤 것도 내려놓지 않아! 귀족도, 평민도 없는 평등한 세상이라고 주장하지만! 어르신! 그 늙은 노인네들을 모시고 있는 원주민이 바로 기득권이고 귀족이야!"

능구렁이 같은 정치인이었을 그녀가 흥분해 본심을 드러낸다.

"이주민은 권력을 잡지 못해! 아무리 숫자가 많고 지지를 얻어도 결코 위로 올라갈 수 없지. 이제는 우리가 훨씬 더 많은데도 그렇다! 원주민 녀석들은-!"

"그래서였군."

그녀의 말을 끊는다.

"예전처럼 권력을 잡는 데에 정의가 너무나 거슬렸던 거야."

34지구에 사는 사람들은 알게 모르게 정의신과 진실신을 끊임없이 접하게 된다. 나만 해도 주식을 크게 구매하자 진실신의 사제에게 전화를 받지 않았던가?

그러나 그런 '보통 사람'과는 비교도 안 될 정도로 끊임없이 평가받는 직업이 존재한다.

바로 정치인.

너무도 당연한 말이지만, 마음속에 권력욕만 가득한 저런 찌꺼기들은 절대 정의신의 거름망을 통과할 수 없다.

"아니야! 우리는 신의 억압을 이겨 내고자 할 뿐이다! 이것이야말로 진정한 민주주의……."

"뭐? 하하하!"

어이가 없어 웃음을 터트린다.

나는 그녀의 부하가 입에 담았던 소개를 기억하고 있다.

'위대한 미합중국의 여왕이자 신앙의 수호자.'

"스스로를 천상의 존재라고 포장하면서, 이제는 허상이나 다름없는 영광을 조금도 내려놓지 못하면서, 인간을 평민과 귀족으로 구분하면서."

그야말로 코미디나 다름없다.

"민주주의라니!"

34지구가 진정한 민주주의라는 말이 아니다. 왜냐하면, 엄밀하게 말해 34지구는 국민이 주인인 세상이 아니기 때문이다.

34지구의 주인은 따로 있다.

'게임 마스터 관대하.'

그걸 모르는 이상…… 이 바보들의 혁명은 절대 성공할 수 없다. 관대하는커녕 삼신 선에서 컷이다.

"이, 익! 돌아가자!"

"네, 넵!"

이제야 정신을 차린 그들이 도망치듯 타워를 빠져나간다. 나는 굳이 쫓지 않았다. 무의미한 일이다.

"어둑시니 님."

"슬슬 움직일 생각이신가 보네요."

그림자가 슥 일어나 은하수처럼 빛나는 흑발의 미남으로 변한다. 나는 고개를 끄덕였다.

"네. 말씀하신 예능에…… 출연하죠. 광고 사방에 다 때려도 상관없다고 해 주세요."

천상회를 비롯한 귀족 세력의 목표를 알게 되자 삼신의 의중과 앞으로의 일에 대한 가닥이 잡힌다.

'그리고 각이 선다면.'

슬쩍 웃는다.

'그것을 잡아채 이득을 보는 것이 어른이겠지.'

* * *

세간에 알려지기로, 삼신은 태양 궁전이라는 장소에 거주하고 있다고 한다.

이때 이 태양궁전의 태양은 어떤 건축물이나 상징 따위가 아닌 우리가 아는 바로 그 태양.

삼신이 딱히 거주 구역에 관한 이야기를 한 적이 없음에도 이 장소에 대해서는 거의 정설로 받아지고 있는데, 여기에는 나름대로 근거가 있다.

'바로 범위.'

삼신의 권능은 태양을 기준으로 펼쳐져 있다. 거리로 치면 대략 약 10억 킬로미터로, 목성은 포함되지만 토성에는 약간 미치지 못하는 정도.

이게 무슨 말이냐 하면, 테라포밍된 화성이나 목성 주변의 우주선에서 범죄를 저지르면 낙인이 새겨지고, 토성 근처에서 저지르면 새겨지지 않는다는 뜻이다. 삼신의 권능이 강하다 한들 우주 전체에 자신의 법칙을 강요하는 건 불가능한 일이었으니까.

'대신…… 그 물리적인 범위 안에서는 벗어나기 어렵지.'

수성, 금성, 지구, 화성, 목성, 그리고 그사이에 설치된 거주 스테이션이나 이동 중인 함선 어디에서든 거짓말을 하면 코가 길어지고 죄악을 저지르면 낙인이 새겨진다. 밀폐된 공간이나 아공간에 들어가도 상황은 마찬가지. 궁극 마법으로 방비를 해도 [신의 시선]에서 자유롭기는 힘들었다.

즉.

'엄밀하게 말하자면 아르데니아도 그 범위 안에 들어가야 해. 내가 지구에 있으니까.'

그러나 현실은 달랐다.

아르데니아 어디도 삼신의 [법칙]은 없었다. 현대의 감성으로 보면 그야말로 지옥이나 다름없는 중세랜드. 삼신의 권능이 있었다면 단지 체면 때문에, 심심하다고, 그저 눈에 거슬린다고 사람을 죽이는 미치광이와 일상이나 다름없는 차별, 마녀사냥 따위가 유지될 리 없을 것이다.

'하기야. 아무리 신의 권능이라도 남의 내면세계에 영

향을 끼치는 건 말이 안 되긴 하지. 아무리 그곳이 평범한 내면세계랑 다르다고 해도…….'

삼신은 아르데니아를 인지하지도, 그곳에 권능을 투사하지도 못했다.

심지어, 내가 명예신의 사제가 되었음에도 그 상황은 유지되었다. 권능의 효과가 하락하지도 않았다. 100억이 넘는 인구수를 가진 34지구에서도 골드에 불과한 내 명예랭크가 아르데니아에서는 플래티넘급이었던 것이다.

이는 내가 지구에서 공급받는 명예와, 아르데니아에서 공급받는 명예가 명확히 분리되어 있음을 뜻한다.

'즉, 이는 아르데니아가 명예신의 권능 안에 들어갔다는 뜻이기도 하지.'

그러나 그런 상황에도 그 권능의 주인에게 아무런 영향을 받지 않는다. 명예신의 간섭을 받기는커녕 내가 다른 세상에서 자신의 권능을 쓰고 있는 것도 모르는 분위기.

그 사실은 내 눈 앞에 있는 텍스트만 봐도 알 수 있다.

[정의신이 당신을 봅니다.]

'명예신은 나를 안 보고 있다. 아니 그 정도를 떠나서……. 지구에서의 내 명예 랭크가 하락되었어.'

골드였던 명예랭크가 이제는 실버.

상급 영약도 구현할 수 있는 아르데니아에서와 달리 지

구에서 만들어 낼 수 있는 건 일반적인 장비나 먹거리 정도. 얼굴에 낙인이 새겨지며 그만큼 내 명예가 추락했다는 말이다.

"후."

생각을 정리한다. 계획을 점검했다.

'그래. 이 구도를 이용하면…… 가능하다.'

천상회 녀석들은 크나큰 착각을 했다. 삼신이 시스템처럼 34지구를 관리한다고 해도 그들이 정말 감정이 없는 시스템은 아니라는 사실을 간과한 것.

지금 정의가 오염되고 사회 문제로 대두되고 있음에도 정의신이 나서지 않는 건 그럴 수 없어서가 아니라 그저 적절한 상황을 지켜보고 있다는 뜻이다.

아르데니아에서 반란 모의가 있었을 때, 내가 정보가 들어오자마자 잡아들이는 대신 그들이 다 모여서 실제로 거병을 하기까지 기다렸던 것과 마찬가지.

즉, 정의신은 모든 상황을 지켜보고 있고, 지금 내 방송으로 그가 기다리는 '적절한 상황'을 만들어 낼 수 있다면.

'정의신의 사제가 된다. 운이 좋으면 사도까지.'

정의신이 아르데니아를 인지할 수 없다면 당연히 그의 권능이 있는 게 낫다. 인류제국에 황제에게 반기를 드는 멍청이는 없지만 고여 버린 시스템이 점차 썩어 가기 시작했기 때문이다.

대놓고 반기를 드는 놈은 머리를 깨 버리면 그만이지만, 내 앞에서는 굽신거리며 뒤에서 허튼짓하는 놈들을 완벽하게 컨트롤하는 건 불가능하니, 아르데니아에 정의신의 권능을 전파하면 여러모로 쓸모가 많을 것이다.

[정의신이 당신을 봅니다.]

"그래. 잘 보십시오."

"재연아?"

불현듯 끼어드는 목소리에 눈을 뜬다.

"괜찮겠어?"

메이크업을 받는 내 옆으로 귀여운 드레스의 소녀가 다가와 물었다. 영원의 마법 소녀이자 국민 MC로 불리는 이 귀여운 인상의 여인은, 내가 이번에 출연하기로 한 토크 프로, [진실의 방으로]의 호스트 강보람이다.

나는 정의신에 대한 생각을 대충 정리한 뒤 대답했다.

"괜찮아요. 다만 이런 방송은 처음인데…… 조언해 주실 게 있나요?"

내 물음에 보람이 잠시 생각에 잠겼다.

귀여운 소녀의 모습을 하고 있지만, 그녀는 게임 마스터와 같이 고등학교에 다녔던 어르신이자 긴 시간 동안 대한민국, 나아가 34지구 전체에 이름을 알린 베테랑 방송인.

이내 그녀가 말한다.

"있는 그대로를 보여 줘."

"그대로요?"

내 물음에 보람이 고개를 끄덕였다.

"그래. 예능은 결국 나 자신을 사람들에게 보이는 과정이야. 연기하거나 캐릭터를 잡는 것도 나쁘지 않지만, 사람들에게 진정으로 다가서려면 자기 자신을 있는 그대로 드러내야 해. 너 자신을 그대로 내보인다면, 그 모습 자체가 충분한 매력이 될 거다."

"있는 그대로……."

"그래. 외모와 별개로 넌 아우라가 있으니까."

쓸데없는 사족에 인상을 찡그린다.

"별개로는 뭡니까, 별개로는."

"시끄러워. 키만 쓸데없이 커져서는……. 앉아 있는데도 고개를 들어야 하네."

투덜거리며 먼저 이동하는 보람의 뒷모습을 잠시 바라보다가 생각한다.

'있는 그대로인가.'

떨림은 없다. 보통 사람이라면. 아니, 연기를 하는 배우나 유명인이라도 익숙지 않은 방송에 나오면 긴장하기 마련이지만, 사람들 앞에 나서는 건 내게 그리 특별한 일도 아니다.

나는 황제.

모든 제국민이 우러러보는 인간 이상의 존재다.

"그럼 모시겠습니다. 3번째 초월자! 이민 2세대, 게임 마스터의 사도, 한재연입니다."

보람의 부름에 세트장에 올라선다. 예능이라지만 요란스러운 음악이나 우레와 같은 박수는 없다. 요즘 사회 분위기가 그렇다.

대략 3~400명 정도 되어 보이는 관객들이 나를 바라보고 있다.

보람이 말했다.

"이야기는 다들 들어 보셨겠지만 직접 보는 건 처음인 분들이 많겠네요. 자기소개를 해 주시겠어요?"

그녀의 말에 고개를 끄덕인다.

"한재연입니다. 만나서 반갑습니다."

촬영이 시작된다. 보람은 능숙하게 이야기를 이끌어 나갔다. 근황 토크, 오룡에 대한 질문이나 스타 드래곤에 대한 이야기, 내가 사용하는 영능, 수련 과정의 어려움, 게임 마스터에 대한 잡담과 서바이벌 아일랜드 에피소드까지.

보람은 때로는 웃고 때로는 놀라워하며 이야기를 이끌어 나갔다.

'프로긴 프로네.'

그저 그녀의 질문에 대답하는 것만으로도 매끄럽게 촬영이 진행된다. 내가 이야기를 더 재미있게 하려고 노력

할 필요 없이 관객 모두가 정신없이 집중할 만한 장면과 대화가 만들어진다.

그리고.

"흠. 이건 조심스러운 질문이지만……. 낙인 문제는 괜찮나요?"

최후의 주제가 등장한다.

"몇 번 시비가 걸리기는 했지만, 당장 문제가 되지는 않습니다. 경찰이 출동하거나 고소 고발이 있을 수 있는 사안이 아니기도 하니까요."

34지구에도 당연히 법이 존재한다. 설사 내게 죄악의 낙인이 새겨졌다고 해도…… 이미 아버지의 사인은 자살로 결론이 났으니 경찰이 나를 체포하기에는 근거가 부족하다.

[정의 사태] 초반에 정의신의 사제들에게 구금당했다면 어찌어찌 구류해 놓았을 수도 있지만, 지금은 전례 없는 사태에 경찰들도 어찌할 줄 모르는 상황이니 더욱 그렇다.

"하긴. 친족 살해의 대죄치고는 낙인이 작고 흐리긴 해요."

낙인이 새겨지냐 아니냐는 의식세계에서의 투표로 이루어지지만, 죄에 담긴 악업(惡業)의 크기는 어디까지나 현상(現像)이다.

사람을 학살한 죄와 인터넷에서 누군가를 모욕한 죄가 똑같이 과반수의 투표를 받아 낙인이 새겨질 수 있지만,

그 크기와 색, 그리고 생동감이 전혀 다르다.

"아버지……."

가만히 생각한다.

내게는 너무나 오래전의 일이다. 아르데니아에서의 35년.

지구에서의 시간까지 더하면 무려 50년에 가까운 과거의 일.

그럼에도 생생히 떠오른다.

"아버지는 신왕가의 왕족이었습니다. 그리고 어머니는 아버지를 어릴 적부터 모신 시녀였죠. 34지구로 이민 오면서 그런 굴레 따위 다 없는 게 되었지만…… 그분들은 그것을 받아들이지 못했습니다."

천천히 이야기를 풀어 나간다. 생각보다 스스럼없이 말이 나와 놀랐다.

아르데니아에 가기 전의 나였다면, 그때의 일을 절대 입에 담지 않았을 것이다. 가장 친한 친구, 사랑하는 연인에게도 말하지 못했을 것이다.

아버지의 자살은 나에게 그만큼이나 큰 트라우마.

그러나 지금.

가장 친한 친구나 연인은커녕 전국. 아니, 어쩌면 전 세계에 방송될 프로그램에서 이야기를 늘어놓는 내 마음은 놀랄 만큼 평온하다.

'강해졌나.'

칼날처럼 날카롭고 빈틈 하나 없는 것이 강자가 아니

다. 과거의 내가 남들에게 싸움을 걸고 다니고, 누군가 내 자존심을 건드리면 바로 발작했던 것은 내 성격이 강해서가 아니라 오히려 약하기 때문이었다.

자신의 약점조차도 아무렇지 않게 드러낼 수 있는 것이 진짜 강자.

나는…… 어느새 과거의 상처를 아무렇지 않게 직시하는 나를 보았다.

"과거를 놓지 못한 이민자의 비극인가……."

"무책임해. 거기서…… 자살을 한다고?"

"세상에……."

사람들의 탄식이 서서히 멀어진다. 나는 어둠 속에서 아이답지 않은 강건한 몸을 가진 소년을 보았다.

[너 때문이야! 다 너 때문이야! 너 때문에 폐하께서……!]

어머니는 울고 있었다. 비명을 지르며 악을 지르고 있었다.

반대로 익스퍼트인 아버지와 마나 한 톨 없이 싸우느라 볼이 터지고 이빨이 죄다 빠진, 한쪽 눈은 제대로 뜨지도 못하고 한쪽 팔과 갈비뼈가 부러진 아이는 울고 있지 않다.

그저 황망하고, 목적 없는 분노에 속이 타들어 가고 있을 뿐이다.

[멍청해! 약해! 미련해! 짜증나!!]

나는 녀석을 보았다. 나이치고는 큰 골격을 가지고 있지만, 잘 먹지 못해 왜소한 아이.

나는 한쪽 무릎을 꿇고 녀석과 시선을 마주했다.

"흔들리지 마라."

아이가 나를 본다.

나도 아이를 보았다.

"거대한 기둥처럼. 태고의 거인(巨人)처럼 모든 걸 지고 갈 수 있는 강자가 되어라."

"……."

소년은 대답하지 않았다. 그러나 잔뜩 일그러져 있던 표정이 굳건한 사내의 그것으로 변한다.

"아니, 이게…… 무슨……?"

"방송 중에……?"

"카메라 똑바로 지켜……! 영파가 밀려온다!"

굳이 운기를 한 것도 아닌데 내공이 요동친다. 아르데니아에서 10년 동안 키워온 대기(大器)가 스스로 용트림하며 회전을 시작. 이내 온 세상이 휘말릴 거대한 흐름이 된다.

쿠구구--!

"으악! 마나가!"

"뭐야, 흡성대법 같은 건가? 아니 내 마나는 멀쩡한 거 같은데?"

"아니 그냥…… 그냥 흐름만으로 주변이 휩쓸린다고?"

단 한순간 대기에 있던 모든 마나의 질이 급변했다. 아직도 한참이나 남아 있던 그릇이 삽시간에 채워진다.

드디어 완성된 대기만성(大器晩成).

흐르던 강은 모여 바다가 되고.

그 바다 안에서 '특별한 것'들이 눈 뜨기 시작한다.

웅!

변화는 그뿐이 아니다. 유기적으로 엮여 있는 요소가 깨달음에 반응했다.

철컥!

10년의 수련으로 지문(地門)을 열었지만, 그저 거기까지일 뿐. 머나먼 일이라고 생각했던 하늘의 문(天門)이 아무런 고통도, 변화도 없이 기다리고 있었다는 듯 문을 연다.

"아 이럴 수가……."

"아니 이게 말이 돼? 서른 살도 안 되었는데……."

"다중 초월자……. 맙소사. 이 정도면 34지구 초월자 중에서도 최상위 아닌가?"

마침내 눈을 떴을 때.

나는 어느새 몰려와 나를 찍고 있는 수백 대의 카메라를 보고 헛웃음 지었다.

'아, 계획…….'

사연을 풀어놓아 나에 대한 비호감을 풀고 그 이후 이민자들에 대해, 정의에 대해 논할 생각이었다.

그러나 마침내 절대고수가 되고, 동시에 천문(天門)을 열어 진정한 차크라 그랜드 마스터, 아트만(Atman)의 경지에 이른 순간.

그리고 그 모든 순간을 관객들이 직접 목격한 바로 그 순간.

'계획은 이게 아닌데…….'

이미 촬영장은 정의에 대해 논할 분위기가 아니었다.

"저기……."

상황을 무마하기 위해 말을 꺼낸다.

"와, 특종이다, 특종. 초월지경에 오르는 그 순간을 카메라에 담았어!"

"이야, 다큐멘터리에서도 못 담은 걸 예능에서?"

"과거의 아픔을 이겨 내고 초월지경…… 그림이 너무 멋져……."

"저기요?"

아무도 듣지 않는다.

나는 포기하지 않고 최후의 보루인 이 프로의 호스트, 보람을 돌아보았다.

"와…… 누구는 100년 가까이 뺑이 쳐도 안 되는데…… 이 어린놈이 그냥 초월자도 아니고 다중 초월자……?"

"저기 보람 누님?"

그러나 그녀도 정신을 못 차리고 있었다.

"진짜 될놈될인가……."

"아니, 저기요?"

눈앞에서 손까지 흔들어도 반응이 없다.

호스트인 그녀가 그러고 있으니 상황이 정리가 안 됨은 물론이다.

'아, 이런. 아 정의신 불러야 하는데…… 이민자들에 대한 화제를 꺼내야…….'

그렇게 생각하고 있을 때였다.

[재미있군. 좋은 구경을 했다.]

목소리가 들렸다.

"어?"

"응?"

"헛……?"

소란스럽던 스튜디오가 단박에 침묵에 잠긴다. 나 역시 멍청히 내 옆자리를 바라보았다.

키기긱!

콰르릉!

평범한 가죽 소파가 거친 소리를 내며 뒤틀린다. 나는 소파가 마치 나무가 자라나듯 덩치를 키우고 보석이 꽃처럼, 열매처럼 주렁주렁 맺히는 광경을 보았다.

보석 하나하나에서 막대한 힘이 느껴진다.

"맙소사."

"아니, 이럴 수가…… 이렇게, 진짜로?"

모두가 입을 떡 벌린 채 바라보고 있다. 그곳에 그녀가 앉아 있다.

정의신.

'아니, 직접 온다고……?'

게임마스터 관대하는 우주에 당할 자가 없는 최상급 신이지만 정작 그를 마주했을 때 그리 초월적인 느낌을 받지 못한다. 그는 인간 출신이고 외견 또한 인간과 다를 게 없기 때문이다. 마검 히페리온처럼 뭔가 특별한 [시각]을 가지지 못한 이상 평범한 존재로 보이는 것.

그러나 정의신은 아니다.

그녀는 태생부터 인간적인 요소라고는 거의 없는 신적 존재였다.

고고고고……

그저 앉아 있는 것만으로 무지막지한 위압감이 뿜어진다. 안대로 눈을 가렸음에도 눈부신 미모를 자랑하는 여인의 손에는 저울이 들려 있다.

[미안하군. 내가 게임 마스터만큼 자신을 갈무리하지 못해서. 권능을 격보다 크게 가지다 보면 이런 게 문제지.]

그저 의견을 전달하는 것만으로 마음을 진탕시키는 목소리. 나는 공손히 고개를 숙였다.

"아닙니다. 뵙게 되어 영광이군요."

머리가 팽팽 돌아간다.

'잘되었다고…… 해야 하나? 원래 계획대로는 아니지만.'

구도는 훨씬 좋다. 정의신의 시선이 온 정도가 아니라 직접 강림했기 때문이다.

'이대로 지금 상황에 대한 내 입장을 분명히하면.'

그런데 정의신이 뜻밖의 말을 한다.

[이번 사태로 내 사제들에게 살해당한 사람이 몇인지 아나?]

"3만 2천여 명이라고…… 봤습니다만."

뉴스에서 확인한 내용. 그러나 정의신은 고개를 흔들었다.

[사실 25만 명이다.]

"네?"

있을 수 없는 일이다. 뉴스에서 거짓말을 하기라도 했다는 말인가?

당황하는 나를 잠시 바라보다 정의신이 카메라를 바라

보았다.

그녀의 얼굴에 싸늘한 미소가 피어올랐다.

[너희는 내 사제라는 자리가 그냥 달면 삼키는 편리한 자리라고 생각했나 보구나.]

누구한테 말하는 거지? 라고 생각하는 순간.

수많은 [장면]이 보였다.

홀로그램 같은 게 아니다. 벽에 걸려 있는 거울에서. 나를 비추고 있는 카메라의 렌즈에서. 깨끗하게 닦여 있는 테이블의 반사광에서 그것들이 보였다.

'뭐야? 지금 저 방송 어디에서 나오고 있는 거지?'

'어째서 족자에서 이런 이미지가…….'

'누가 함부로 나를 촬영하고 있는 거냐!?'

수많은 사람이 보인다.

심지어 그중에는 얼마 전에 보았던 천상회의 우두머리 중 하나. 엘리자베스 5세까지 있다.

정의신이 말했다.

[그래. 시스템에 문제가 있었지. 변명하자면…… 시스템을 처음으로 적용시킬 때 인류는 멸망을 마주하고 있

었다. 사람들에게 동기를 부여하려면 스스로의 죄악을 지우는 힘이 필요했어. 악인들의 무리가 서로 의심하고 찢어져 세상에서 사라지길 바랐기 때문이야.]

정의신의 무구가 있다면 죄의 낙인을 지울 수 있다. 더 많이 정의로운 일을 한다면, 그것으로 죄를 갈음할 수 있는 것!

그러나 그 순간 새로운 [장면]이 떠올랐다. 여기저기서 있거나 날아다니던 펫들의 몸에서 영상이 실행된다.

'사, 살려 주세요!'

'악인아. 감히 살기를 바라느냐?'

'악인이라니! 어쩔 수 없는 상황이었잖아!? 너, 너희가 우리을 이런 상황으로 몰아갔잖아!'

'악인은 처단받아라.'

전체적으로 낡아 보이는. 그리 크지 않은 우주선에 있는 꾀죄죄한 복장의 난민들이 정의무구를 들고 있는 정의신의 사제들에게 살해당하고 있다.

그들 중에는, 역시나 엘리자베스를 비롯한 천상회의 고위직들이 섞여 있다.

'꺼! 화면을 당장 꺼라!'

'여, 여왕님! 지금 이 영상이 34지구 전체에 퍼져나가고 있습니다! 심지어 통신이 연결 안 된 곳에서조차…….'

'안 돼, 이건 말도 안 돼! 이런 게 어디 있어?'

'사생활 침해다! 신이 우리를 감시하고 조종한 것이나 다름없……!'

악을 쓰는 사람들의 모습을 보며 정의신이 말했다.

[인정하지. 내 실수다. 나는 전지(全知)하지 못하고 평화는 길었으니……. 너희가 나를 이렇게까지 무시할 줄, 이렇게 멍청하고 잔인하리라 생각하지 못했다.]

그녀의 말에 나는 돌아가는 상황을 깨달았다.

'용병들이 구한 사람이 다가 아니었어. 이 미친놈들이…… 난민들을 구해다가 화성이나 지구에 내려놓기도 전에 악을 저지르도록 유도하고…… 학살했다.'

그들이 3만 명의 희생자 집계에 잡히지 않는 건 어쩌면 당연한 일이다. 애초에 화성에도 지구에도 내려선 적이 없기 때문!

'정의신이 거슬려 없애려는 녀석들이…… 정의신의 사제 짓을 하고 있었다니.'

[지금부터 내 권능 범위에 들어오더라도 즉시 판결에

끼어드는 일이 없도록 하겠다. 짧게는 1년. 길게는 5년 이상의 유예를 두도록 하지. 더불어…… 악을 해치우는 과정 또한 '판결'의 범위에 들어간다. 정의신의 사제가 되려면 내 범위 [밖]에서의 일 또한 어느 정도 소급하는 과정도 필요하겠지. 많이 불편하고 번거롭겠지만…….]

정의신이 싸늘한 얼굴로 웃는다.

[너희가 내가 준 자유를 악용했으니 어쩔 수 없구나.]

엘리자베스 5세를 비롯한 이민자들은 크나큰 착각을 하고 있었다. 아무리 음험한 음모를 꾸며도, 그 어떤 빈틈을 찾아내 큰 타격을 준다 해도 소용없다는 사실을 모른 것이다.

어디 내가 아르데니아에서 귀족 놈들보다 똑똑해서 음모를 다 분쇄했던가?

그저 압도적으로 강하니까, 음모에 당해 불리한 판에 말려 들어가도 한방에 그걸 다 부숴 버릴 힘이 있으니 가능했던 것이지.

나는 화면을 보았다.

화면 안 사제들의 얼굴에 [낙인]이 새겨지는 모습이 보인다. 적게는 몇 개지만 많게는 수십 개인 녀석도 있다.

'아악!'

'이런 제기랄! 어떻게 이딴……!'

'그래 도망치자! 권능의 밖에서도 정의무구는 작동해! 우리 정도의 힘이면 어디에 가서도…….'

그때 찌익! 하는 소리와 함께 황급히 움직이는 사제들의 앞 공간이 갈라진다.

황금빛 검이 공간을 가르고 한 사내가 모습을 드러낸다.

새하얀 머리칼에 주름진 피부를 가진 백인.

그는 노인이다. 언뜻 보기에도 100살은 넘어 보이고 실제로도 그만한 시간을 살아온 존재.

그 노인은 너무도 유명한 존재다. 어쩌면 34지구에서 가장 많은 인간을 죽인 인간.

정의신의 사도.

악멸자(惡滅子). 알렉스.

'짐승 같은 것들. 네깟 것들이 정의신님의 위명에 오물을 끼얹다니…….'

그 모습을 마지막으로 모든 화면이 중단된다.

정의신이 말했다.

[너에게는…… 그리고 무고하게 죽어 나간 희생자들에

게는 그저 미안할 뿐이다.]

"아닙니다. 이 또한 겪어야 할 진통일 뿐이죠."

누군가는 정의신에게 책임을 물지도 모른다. 정의신의 실수 아닌 실수로 십만 단위의 피해자가 발생한 것은 사실 아닌가?

그러나 34지구에서 정의신에게 책임을 물 수 있는 것은 게임 마스터 관대하뿐이다. 잔혹한 말이지만…… 중급 신이 3문명이 난무하는 대우주에서도 [황제] 클래스라 불리는 데에는 이유가 있다.

[후속 처리는 정의신전과 검찰청에 맡겨 두겠다. 널…….]

정의신이 부드럽게 웃는다.

[널 지켜보지.]

그 말을 마지막으로 사라진다.

"……."

"……."

"……."

모두가 홀린 듯 그녀가 사라진 자리를 바라보았다.

'흠. 잘될 거 같기도 하고 아닌 거 같기도 하고.'

잠시 생각하고 있을 때였다.

"방송 대박."

고개를 돌린다. 보람이 주먹을 불끈 쥐고 있다.

어이가 없어 웃었다.

"역시 국민 MC네요. 이 와중에 방송 생각이라니."

"아, 몰라. 초대박이야. 히히. 예능에서 초월지경에 정의신이라니."

작게 중얼거린 보람이 머리를 확 하고 넘긴다. 마치 마술처럼 음침한 미소가 화사한 미소로 변한다.

"자! 깜짝 게스트가 왔다 갔는데요!"

"그걸 깜짝 게스트 정도로 이야기할 수가 있을지……."

그렇게 항의하며 슬쩍 한쪽에 위치 한 거울을 확인한다.

어느새 죄의 낙인은 사라지고 없었다.

# chapter3.
# 열일하는 슈퍼개미

chapter3.
## 열일하는 슈퍼개미

잠시 막혔던 모든 일정이 급속도로 진행된다. 나는 24시간을 모조리 스케줄로 짜 버렸다. [진실의 방으로]로 물꼬를 튼 예능에도 마구 출연하고 영화 촬영. 정확히는 대본 리딩을 시작했다.

막혔던 광고는 오히려 몸값이 올린 상태로 다시 찍게 되었다.

뉴스에도 나왔다.

그리고 그렇게 번 돈으로.

주식을 샀다.

"아, 옛날 생각나네."

예전에도 이런 적이 있다. 주식을 가지고 있으면 아르데니아의 시스템에 간섭할 수 있다는 사실을 깨닫고 미친 듯 일하며 번 돈 모두를 주식에 때려 박았었지.

영화 출현으로, 격투기로, 달에서 건축 공사를 진행하며 번 돈 등이 모이는 대로 주식을 구매하던 나날!

'그리고 그 주식이 미친 듯이 폭등해…… 400억을 벌었었지.'

어쩌면 지금의 나를 만든 시간이라 할 수 있다. 만약 그때의 주식 폭등이 아니었다면 내가 지금의 강함을 얻기까지 훨씬 긴 시간이 걸렸을 것이다.

"야옹!"

체다가 울었다. 나는 알람을 확인했다.

"……."

예전, 나는 미친 듯이 주식을 샀고 그 주식이 폭등해 400억이라는, 그때의 내 능력으로는 감히 넘볼 수 없는 수준의 돈을 벌었다.

그리고 그때보다 수십, 아니 수백 배의 돈을 버는 지금.

**[스파이크 앱 알림!]**

**네메시스 ↓**

**최근 1년 중 최저가를 기록했어요(8,770,110원)**

"아, 수백억 치는 산 거 같은데 떨어지네……."

가슴이 아프다. 그러나 절망하지 않는다.

"저점 매수 찬스다……!"

1년 중 최저가라니 아주 좋은 소식이다. 가장 쌀 때 살 수 있다는 뜻 아닌가?

나는 전 재산을 모조리 네메시스에 때려 박았다. 어차피 돈이야 계속 벌고 있다.

예능에 출연한다. 광고를 찍는다.

영화를 촬영하고 인세를 정산했다.

필사는 잠시 멈춘 상태다. 한동안의 작업으로 비축분이 충분했기 때문이다.

"야옹!"

체다가 울었다. 나는 알람을 확인했다.

**[스파이크 앱 알림!]**

**네메시스 ↓**

**최근 1년 중 최저가를 기록했어요(7,220,010원)**

"저점 매수다……."

최저가라니 지금 사야 한다.

"아, 전에 사지 말고 지금 다 살걸."

투덜거리면서도 다시 번 돈 모두로 주식을 구매한다.

시간이 지난다.

예능에 출연한다. 광고를 찍는다.

영화를 촬영하고 인세를 정산했다.

이제는 방송을 켜면 내가 나오고 커뮤니티 광고에서도

내 얼굴이 보인다.

"야옹!"

체다가 울었다. 나는 알람을 확인했다.

**[스파이크 앱 알림!]**

**네메시스 ↓**

**최근 1년 중 최저가를 기록했어요(6,501,000원)**

"아, 조금만 더 기다렸다 살걸…… 지금이 진짜 찬스인데."

그래도 혹시 몰라 정보는 찾아본다. 심지어 네메시스 소프트의 대표인 사람에게도 이런저런 이야기를 들었다.

그리고 알았다.

'네메시스에는 아무런 악재가 없다.'

그저 몬스터 사태에 관련해 모든 주가가 하락장일 뿐.

'그럼 문제없다. 어차피 나는 네메시스 주식을 사야 하고…… 그래. 지금이 기회야. 지금까지 좀 손해를 봤지만 이제 정말 최저가잖아?'

가진 돈 모두로 주식을 산 후 다시 일을 시작한다.

예능에 출연하고, 광고를 찍고, 영화를 촬영하고 인세를 정산한다.

"야옹!"

체다가 울었다.

**[스파이크 앱 알림!]**

**네메시스 ↓**

**최근 1년 중 최저가를 기록했어요(5,641,300원)**

"……농담이지?"

나는 주식 앱. 스파이크를 실행했다.

네메시스 소프트를 눌러보자 주주 커뮤니티가 보인다.

**[울고 넘는 대학원]**

**스파이크야 그만 알려라.**

**최저가인 거 나도 잘 안단다 ^^**

**하트 218개. 댓글 18개.**

주식 커뮤니티를 켜 본다.

맨 위에 보이는 게시물이 이거다.

**글쓴이 : 광대**

**[응~ 폭락 더 해 봐 병신아~]**

**자살하면 그만이야~**

**추천 6123. 비추천 22**

"……."

전체적인 하락장에 커뮤니티도 정신을 못 차리는 상황.

나는 주식 앱을 확인했다.

"아, 시바."

욕이 절로 나온다.

초월의 정신이 아찔해진다.

**[스파이크 증권 계좌 국내 주식 수익]**

**-51,181,118,130원(-48.8%).**

"아, 꿈인가."

눈을 씻고 보았지만 꿈이 아니다. 마이너스 500억은 냉엄한 현실.

그렇다. 내 주식은 반 토막이 되었다.

"아……."

사실 주식이 반 토막 나는 것 따위 흔하디흔한 일이다. 수많은 사람이 주식에 뛰어들어 그런 꼴을 당하곤 했겠지.

그러나 100만 원, 1,000만 원, 혹은 1억이 반 토막이 되는 것과.

1,000억 원이 반 토막이 되는 것은 그야말로 차원이 다른 일이다.

"어차피 사야 할 거였어. 어차피……."

그렇게 마인드 컨트롤을 해 보지만 '어차피 살 거를 조금만 늦게 사지 그랬니?'라는 생각이 머리를 떠나질 않는다.

그렇다고 네메시스를 원망할 수도 없는 게, 주식 시장 전체가 비슷한 분위기다.

네메시스는 그중에서도 많이 떨어진 편이지만, 마이너스 30퍼센트나 40퍼센트도 흔한 상황이다.

뉴스에서는 몬스터 사태로 인한 실물 자산이 어쩌고, 신용 자산이 저쩌고 하는 식으로 이 상황을 설명하고 있지만, 투자하기 위해 주식을 산 게 아니었던 내게는 다 쓸데없는 소리다.

"로그인."

아르데니아로 들어간다.

"가지."

"네, 폐하."

나는 엘리베이터를 타고 길드 타워를 나섰다. 대륙의 북서쪽, 좌상화점에 위치한 만독성이 수천 개가 넘는 파티로 북적이고 있다.

"폐하께서 오셨어."

"황제 폐하……."

"이 기세. 이 위엄…… 그야말로 살이 떨리는군……."

낮게 숙덕거리는 플레이어들의 목소리를 들으며 허공을 밟고 허공으로 올라선다.

당연하지만 허공답보나 능공천상제가 아닌 극의지체의 만물간섭을 이용한 묘기다.

'이제는 허공답보도 가능한 경지라는 게 함정이지만.'

어쨌든 허공에 올라선 난 나를 올려다보는 모든 플레이어를 내려다보았다.

"자랑스러운 나의 전사들아."

그들은 충실한 무장을 갖춘, 인류제국에서도 상위 1%에 들어가는 고레벨의 플레이어들이다. 애초에 이번 '이벤트'의 참가 조건을 40레벨 이상으로 정했으니 당연한 일이다.

"지난 10년. 너희는 강해졌다. 지금 여기에 있는 파티 대여섯 개만 과거로 돌아가도 국가 전복이 가능한 수준이지. 그러나 알다시피, 저 성벽 밖에는 여전히 너희가 항거할 수 없는 괴물들이 존재한다."

플레이어들은 강하다. 물론 그들은 여전히 무과금이지만…… 이제 그들은 일반에서 고급 등급에 한해서는 컬렉션도 완성해 나가고 있고 클래스 등급도 기본이 고급, 희귀 등급도 심심치 않게 볼 수 있는 상황.

그러나 그것으로는 부족하다.

아르데니아의 내륙은 전설 몬스터가 판치는 지옥이 되었다. 나 역시 하늘을 날아다니는 드레이크나 땅을 파고 다니는 웜 따위의 착점만을 청소할 뿐 나머지는 내버려 두는 상황이었으니, 신화급 성벽이 아니었다면 플레이어들이 아무리 성장해도 지금 같은 평화를 지키기란 불가능했을 것이다.

전설 몬스터의 [공성]은 지금도 며칠에 한 번씩 이뤄지는 상황.

정기적으로 수성전에 참가해 경험치를 버는 플레이어들은 자만할 수가 없다.

"물론 지금 내가 나가서 하루 10시간씩 싸우면 모조리 정리해 줄 수 있겠지. 너희들은 그것을 원하나?"

"아닙니다!"

"우리가 할 수 있습니다!"

"절대 짐이 되지 않겠습니다!"

고함을 내지르고 악을 쓴다. 별로 대단한 이야기를 한 것도 아닌데 모두 극도의 흥분에 어쩔 줄 모른다.

"너희는, 인류는 더욱 강해질 것이다. 발전할 것이다!"

나는 34지구를 알고 있다. 초월급 몬스터가 쳐들어와도 3분 안에 살해당하는 미친 세계.

언젠가, 나는 인류제국 또한 그런 곳으로 만들고 말 것이다.

"지금! 내 앞에서 그 가능성을 보여라!"

"네!"

"황제 폐하 만세!"

쏟아지는 환호와 발 구름. 박수 소리 속에서 나는 연설을 마무리했다.

"사냥제를 시작한다!"

"와아아아---!"

우레와 같은 함성과 함께 수만 명의 플레이어가 던전으

로 뛰어 들어간다.

나는 광장에 가득하던 플레이어들이 빠르게 줄어드는 것을 확인한 후 주식을 사용했다.

"5주년 이벤트. 황금 스킬 북을 완성하라 실행. 장소는 만독성 던전. 시간은 최대치."

내 말에 시야 한편에 떠 있는 주식 수가 주르륵 줄어든다.

그리고 그것이 0이 되는 순간.

**[황금 스킬 북 이벤트 적용 중]**

**[남은 시간 37:48]**

나는 땅에 내려와 부관에게 말했다.

"사냥제의 남은 시간은 37시간 48분이다. 공지하도록."

"네, 폐하."

나는 주식의 힘으로 NPC를 소환하거나 일대일 채팅을 연결하거나 길드 게시판을 만들거나 하는 매치를 벌여왔지만, 그것에 대해 정확하게 파악하지는 못하고 있었다.

'너무 대중없긴 했지.'

어떤 아이템의 경우 드랍률을 최대 10퍼센트까지 올릴 수 있고, 어떤 아이템의 경우에는 그것이 불가능했다. 상점 NPC를 부르는 것은 가능하지만 플레이어를 부를 수는 없다.

일단 이용은 했지만 명확한 기준을 알 수 없던 상황.

주먹구구식으로 줄어드는 속도로 파악하는 정도였다.

그러나 네메시스의 대표이자 리벤지의 기획자인 배사랑과 많은 대화를 나누면서…… 나는 패치의 정체를 확인할 수 있었다.

'리벤지에 있는, 혹은 있었던 시스템만을 적용할 수 있다.'

리벤지에서는 몬스터의 드랍 테이블에 종종 손을 댄다. 시세를 조절하기 위해 드랍률을 잠그거나 버프를 주기도 한다.

몬스터의 등급이나 스킬을 바꾸기도 하고 어떤 시스템을 적용했다가 없애 버리기도 한다.

어떤 직업을 상향시키기도, 하향시키기도 한다. 새로운 스킬을 추가하거나 삭제하는 일도 있다.

그리고 그런 '기록'이 바로 내가 패치를 적용할 수 있는 범위.

나는 사랑과의 수많은 대화로 그중 가장 적절한 대상을 찾아냈다.

'황금 스킬 북을 완성하라.'

5주년 기념으로 오픈한, 그리고 임시 점검을 3번이나 해야 했던 문제의 이벤트.

나는 사랑의 말을 떠올린다.

'칭찬받으려고 대대적으로 벌인 이벤트에서 욕만 바가지로 먹었죠. 사과문도 올리고 아주 난리였는데.'

'황금 스킬 북을 완성하라.' 이벤트는 몬스터를 잡아 '스킬 북 조각'을 획득, 그것을 10장 모으면 고급 스킬 북을, 100장을 모으면 희귀 스킬 북, 1,000장을 모으면 영웅 스킬 북, 1만 장을 모으면 전설 스킬 북을 제작할 수 있는 이벤트였다.

당연한 말이지만 전설 스킬이 왕창 풀릴 그런 이벤트는 아니었다고 한다.

드랍률이 상당이 낮아서 대다수 플레이어는 잘해 봐야 수백 장을 간신히 모을 정도였고, 심지어 거래도 불가능했다.

열심히 자동 사냥을 돌려 봐야 희귀급. 상위 플레이어쯤 되어야 간신히 영웅 스킬 북을 교환할 수 있고 최상위 플레이어가 이벤트 내내 미친 듯이 고위 사냥터를 돌아야 전설 스킬 북을 얻는 식.

심지어 조각을 모으면 그냥 완성되는 게 아니라 다이아를 소모해 [확률]로 제작하는 식이었으니 이걸 [개이득인데!?]라고 생각하는 건 리벤지 플레이어뿐이겠지.

그런데 문제가 생겼다.

스킬 북 조각은 거래할 수 없었지만 다른 플레이어 가 '전투'를 도와주는 것조차 불가능하지는 않았고, 그 상황에 상위급 몬스터는 스킬 북 조각의 드랍률이 꽤 높다는 사실을 플레이어들이 깨달았기 때문이다.

'대형 길드의 길드 마스터가 수십 명 단위의 버퍼와 힐러를 데리고 신화 등급의 일반 몬스터를 썰고 다녔다지.'

신화 등급의 일반 몬스터는 드랍률이 똥망이라 평소라면 대규모의 인력을 낭비한 뻘짓이었겠지만…… 스킬 북 조각이 떨어지니 상황이 달라졌다.

이벤트의 결과는 아주 한국스러웠다.

대형 길드의 길드 마스터들은 이 정보를 빠르게 공유했고 서버에 전설 스킬 북 수백 권이 풀리고 만다.

너무나 당연하게도, 그 이후로 이벤트 자체가 없어져 다시는 열리지 않았다고 한다.

'그리고 그 저주받은 이벤트를 내가 불러낸 것이지.'

이것은 송편 이벤트만큼이나 대박 이벤트다. 이걸 잘 이용한다면 아르데니아에 전설 스킬 북을 잔뜩 풀어 버릴 수 있으리라.

'폭락은 가슴이 찢어지지만…… 그래도 주식이 많으니 할 수 있는 일이 많다.'

나는 [상점 NPC]를 소환해 골드를 소모했고, 사용할 수 없던 편의 기능 [우편]을 열었다.

모든 도시에 실시간으로 동기화되는 [공개 게시판]을

설치했으며, 특정 몬스터의 [드랍률]을 조정하고 [이벤트]를 열었다.

현재 내가 가지고 있는 주식은 대략 2만 주.

덕분에 나는 예전부터 상상만 하던 모든 패치를 플렉스할 수 있었다. 어차피 주식력(?)은 일정 시간이 지나면 회복되니 거칠 것이 없다.

그리고 주식과 더불어.

알아낸 사실이 하나 더 있었다.

**[22레벨 영능 재해 경고! 22레벨 영능 재해 경고! 모든 시민분께서는…….]**

**[2분 38초 만에 정리! 김찬기 어르신의 놀라운 필살기는?]**

"뭘 그렇게 봐?"

파다닥 달려와서 내 품에 폭 안기는 루비의 말에 답한다.

"뉴스, 요새 몬스터 사태가 핫하니까."

어느새 내 옆에서 한쪽 팔을 안아 든 흑요가 풍만한 가슴으로 내 어깨를 누르며 귀에 속삭인다. 숨결에 귀가 간지러웠다.

"그래도 34지구쯤 되니 한 마리씩으로는 사망자가 안 나오는군. 하기야 11마리가 쳐들어왔을 때도 잘 막았을 정도니."

현실에서 바삐 시간을 보내는 것 이상으로 아르데니아에서 보냈다.

대체로 수면과 휴식 시간이었지만 업무를 하거나 사냥을 하기도 했다.

'다행이라고 해야 하나.'

아르데니아에서 긴 시간을 보냈기에 몬스터가 쏟아져 나왔다는 내 짐작은 반만 맞았다.

변수는 아르데니아가 아니라…….

천원(天元)에 위치한 [죽음의 신전]이었다.

'아르데니아에 못 가는 상황은 안 벌어져서 다행이지만, 여전히 이유는 모르겠군.'

나는 몇 번의 실험 끝에 신화급의 몬스터를 잡냐 안 잡냐와 상관없이, 신화급 던전에서 오랜 시간을 보내면 현실에 신화급 몬스터가 등장한다는 사실을 알 수 있었다.

전에 11마리의 신화급 몬스터가 등장했던 것은 10년 동안 내가 일과처럼 죽음의 신전에 들렀기 때문.

나로서는 유의해야 할 문제다. 천원을 공략하고자 한다면…… 길게 시간을 끌지 말고 단번에 끝내야 한다는 말이기 때문이다.

"클리어!"

그때 던전에서 백색의 갑주를 입은 금발의 미남이 미사일처럼 튀어나온다.

멀찍이서 던전을 보고 있던 구경꾼들이 술렁인다.

"고작…… 20분 만에 클리어했어? 그것도 헬 난이도를 혼자서?"

"최고로 숙련된 특급 파티들도 1시간은 걸리는 곳인데……."

"결투 기사님보다도, 은십자 기사님보다도 빨라."

"역시 폐하의 제자인가……."

아무런 세력도, 별다른 작위도 없지만 그럼에도 에드워드의 위상은 어마어마하다. 오직 스스로의 실력과 능력으로 인한 결과.

'역시 확정 신화.'

감탄하고 있는데 다시 한번 던전 게이트가 일렁인다.

"끝!"

"늦었어, 누님."

"아, 제기랄!"

두 번째로 나온 헤이즈가 인벤토리에서 아이템을 쏟아내는 에드워드를 보며 혀를 찬다. 그러나 사냥제는 이제 시작.

그들은 인벤토리를 비운 후 다시 던전에 들어갔다. 상황판에 이름과 획득한 스킬 북 조각. 그리고 클리어 횟수가 새겨진다.

**[에드워드 : 1개(1회).]**

[헤이즈 스타라이트 : 0개(1회).]

그들을 시작으로 다른 플레이어 들도 던전을 클리어하고 나오기 시작한다.

"와. 두 분은 벌써 왔다 갔네요. 나는 파티도 있는데……."

확정 전설, 레드가 파티원들과 함께 나와 인벤토리를 비우고 돌아간다.

'아, 그러고 보니 레드 녀석의 신화 클래스가 나왔었지.'

새로 추가된 신화 클래스. [차원 방랑자].

그러나 레드의 경우는 확정 신화라고 말하기 어렵다.

[차원 방랑자]

절망적인 전투에서 모든 마력을 쏟아내 차원 붕괴를 일으켰던 레드는 그만 차원의 이면으로 낙오되고 말았습니다.

원 시간대에서는 고작 5년. 차원의 이면에서는 몇십 년인지 몇백 년일지 모르는 시간.

다시 원 차원으로 돌아왔을 때, 그녀는 인간을 넘어선 차원 방랑자가 되어 있었습니다.

클래스는 아르데니아에 존재할 수 있는 [모든] 가능성을 구현한 것.

이는 절대 원본의 확정된 미래가 아니다. 특히나 신화급의 경우에는 태반이 쉽게 일어날 수 없는 기연이나 돌발 상황을 전제로 하고 있으니 아무리 인류제국의 인프라가 좋다 해도 레드가 신화급에 도달할 가능성은 아주 낮다고 봐야 할 것이다.

'물론……. 방법이 전혀 없는 건 아니지.'

지금이라도 그녀에게 신화 클래스 카드를 넘긴다면 그녀는 신화 클래스로 재탄생할 것이다. 같은 방식으로 헤이즈도 소드 마스터의 미래를 불러오지 않았던가?

"……."

그러다 멈칫한다.

'어, 잠깐만……. 이게 진짜 되나?'

크게 신경 쓰지 않았는데 돌아보니 아주 이상한 이야기다.

'새로 추가된 신화 클래스인데도?'

'어, 잠깐만…… 이게 진짜 되나?'

아르데니아의 세계는 이미 '확정'되었다.

내가 처음으로 아르데니아에 들어간 그날. 그러니까 군대 전역 전날의 리벤지가 바로 아르데니아의 모습.

그 이후에 한 업데이트, 추가된 아이템 등은 아르데니아에 구현되어 있지 않다는 사실은 이미 숱한 조사와 게임 플레이로 확인이 끝난 문제다.

'하지만 패치를 하면 새로 업데이트 된 내용도 적용할 수 있어. 그리고 그렇다면…….'

생각을 발전시킨다.

'내게 도움이 되는 업데이트를 시켜서 그걸 패치할 수도 있는 거 아닌가?'

농담이 아니라 마치 콘솔 게임에서 치트를 치는 듯한 행위를 할 수 있다는 말이다. 물론 그마저도 내가 보통의 유저였다면 어림도 없는 일이지만.

나는 네메시스의 대표이자 리벤지의 핵심 기획자인 배사랑과 밥도 먹고 개발도 같이하는 사이.

내가 하고자 한다면…… 게임 밸런스에는 별다른 영향을 끼치지 않으면서도 내게는 치트가 될 시스템이나 설정 등을 업데이트 하는 것 따위 그다지 어려운 일도 아니다.

'이건 확인해 봐야겠군.'

"폐하?"

내가 가만히 서 있자 내 쪽으로 다가오던 플라워가 의문을 표한다. 나는 잡념을 떨치고 웃었다.

"아, 미안. 좋은 생각이 나서."

"좋은 생각이라는 건…… 아."

플라워가 멈칫하는 모습에 고개를 돌린다. 던전 게이트에서 나의 어린 아들, 지성이 나오고 있다.

당연하지만 아는 척을 할 수는 없다. 지성은 현재 가명으로 모험가 활동을 하고 있기 때문이다.

'나랑 닮았어도…… 역시 아무도 못 알아보는군.'

하기야 지성은 알려지기로 올해 11살. 머리에 총을 맞지 않은 이상 저 건장한 사내를 11살로 보기는 어렵겠지.

그런데 자세히 보니 녀석의 파티가 아주 특이하다.

'……뭐야, 저거.'

"조심해라, 할멈."

"후후. 걱정해 주는 건 고맙지만 나도 이제 스텟이 높아져서 뛰어다니는 정도는 문제가 안 된단다."

"와. 그건 그렇고 젠타 님이 진짜 엄청 강하시네요! 나름 강해졌다고 생각했는데."

"예스 님도 대단하셨어요."

지성의 파티는 녀석과 경호 역으로 붙여 둔 웨어울프 긴 다리, 그리고 로즈리안과 예스로 이루어져 있다.

'아니. 무슨, 소설가 파티잖아?'

대체 어쩌다 파티 구성이 저렇게 짜였는지 황당하기까지 하다. 돌아보면 경호로 붙인 긴 다리 녀석도 나름 유명한 소설가가 아니던가?

문제는 그뿐이 아니다.

지성이 녀석이 천 옷을 걸치고 있다.

'아니, 단전을 타고난 녀석이 마법사? 돌겠군…….'

어이가 없었지만, 자식 교육은 전적으로 플라워에게 맡긴 상황이었기에 딱히 지적할 일은 아니다.

게다가 저렇게 건장해 보여도 지성은 11살.

하고 싶은 걸 하며 놀아도 잘못이 아닌 나이다.

"들어가지. 사냥제는 아직 한참 남았으니."

"네, 폐하."

나는 길드 타워로 돌아와 업무를 마쳤다.

행정관을 많이 늘렸지만 굵직굵직한 결정들은 여전히 내 손으로 해야 한다.

"좋아. 다 했고…… 로그아웃."

지구로 돌아가 일정을 확인했다.

"21시간 후에 집필 시간…… 그때 약속 잡아야겠다."

나는 다시 일을 시작했다.

이미 광고는 찍을 만큼 찍어 남은 광고는 자잘한 것뿐이기에 쓸데없는 이미지 소모라는 어둑서니의 조언을 받아 패스.

"다음 게임은 팀 줄다리기입니다!"

"으아아! 왜 다 힘을 합쳐도 끌려가는 거냐!?"

"만나서 반갑습니다! 흑막 역할을 맡은 한가람입니다!"

몸을 쓰는 액션 예능을 다수 출연하고 영화 촬영을 진행했다.

"황제, 한재연 씨입니다!"

"재연 오빠--!"

"오오! 한재연이다!"

이제는 나를 몰라보는 사람이 더 드물다.

텃세 따위도 없다. 아무리 연예계가 빡빡해도 초월자에

게임신의 사도이기까지 한 내게 대거리를 하는 미친놈이 있을 리는 없었다.

'이게 인기인가?'

모두가 나에게 친절하고 누구나 나를 알아본다.

누군가는 이 시선에 취해 스타병에 걸리고, 누군가는 오히려 움츠러들지만, 나는 아무렇지도 않다.

애초에 이것들은 중요하지 않다.

중요한 건.

'돈이지.'

"야옹!"

"아, 제발 울지 마……."

나도 울고 싶다.

그래도 혹시나 하는 마음에 주식을 확인한다.

**[스파이크 앱 알림!]**

**네메시스 ↓**

**최근 1년 중 최저가를 기록……**

황급히 화면을 꺼 버린다.

'시바.'

확 잡친 기분을 추스르며 네메시스 소프트에 방문한 난 바로 대표실로 향했다.

비서도 나를 막지 않는다. 나와 사랑이 이 정도 사이다.

“또 그렇게 되었단 말이에요?”

대표실에 들어가니 통화 중인 사랑의 모습이 보인다. 사랑은 나를 보더니 검지를 입술에 댔다. 잠시 조용히 해 달라는 뜻이다.

‘잠깐 나갔다 와야겠군.’

그렇게 생각할 때였다.

[저번 때처럼 악재까지는 아닙니다. 네메시스 소프트가 예지에서 사라졌었지만, 결국 망하지 않고 재도약하는 것을 VIP들이 확인했으니까요.]

“흠…… 예지가 막힌 게 언제부터죠?”

[8월 14일입니다.]

‘……어?’

순간 멈칫한다. 익숙한 날짜.

내가 주식을 사기 시작한 날이다.

“짐작 가는 게 없네요. 누군가의 공격은 아닌 듯한데…….”

통화를 들으며 생각한다.

‘어? 잠깐 이거.’

문득 떠오르는 바가 있었기에 슬쩍 체다에게 손을 댄다.

녀석을 매너 모드로 바꾼 뒤 주식 앱을 켜, 가지고 있던 주식을 몽땅 팔았다.

[……엇?]

“왜요?”

[소식이 들어왔습니다. 네메시스가 다시 예지에 잡히

기 시작했어요.]

"……갑자기요?"

그때 체다가 부르르 떨었다.

**[스파이크 앱 알림!]**

**네메시스.**

**관심 주식이 급하게 상승 중이에요(5%↑)!**

'악! 이런!'

깜짝 놀라 주식을 다시 다 사들인다.

통화 너머의 노인이 말한다.

[……네메시스가 다시 예지에서 사라졌습니다.]

"아니, 대체 뭐예요?"

퉁명스러운 사랑의 말을 들으며 마음속으로 통한의 눈물을 흘린다.

'진짜, 진짜 잠깐이었는데 엄청난…… 손해가…….'

주식을 팔고 5% 높은 가격으로 다시 샀다. 즉, 5%의 손해.

그러나 그 5%가 25억이고.

지금 십여 초 만에 25억이 날아갔다.

'크윽…….'

가슴이 찢어지는 듯하지만, 적어도 정보 하나는 얻었다.

'내가 주식을 사면 해당 주식이 예지되지 않는다…….'

짐작 가는 바는 하나뿐이다.

'또 다른 창조신…… [그녀] 때문이겠지.'

이러니저러니 해도 물질계에 속한 초월자들이 간섭하는 것만으로 어그러지는 예지 능력이 아예 이 세상 밖의 존재인 그녀와 연관된 문제를 읽어 낼 수 있을 리 없다.

'아, 잠깐. 이거 어떻게 활용할 수 있을지도? 아니야. 재수 없으면 금융범죄에 연루된다…….'

고민하는 사이 사랑이 통화를 끝내고 묻는다.

"오랜만! 요즘 바쁠 텐데 무슨 일이라도 있어?"

아르데니아에 대해 기나긴 이야기를 반복하면서 우리는 예전과 비교할 수도 없이 친해졌다. 하기야 대표실에 그냥 막 들어오는 게 어디 보통 사이겠는가?

"일은 무슨. 그냥 이야기나 하러 왔지."

"오……."

사랑이 환히 웃는다. 그녀는 아르데니아에 대한 이야기하는 걸 아주 좋아했다.

내가 그냥 들어만 줘도 좋아하지만, 심지어 의견 개진까지 하면 좋아서 어쩔 줄 몰라 하는 게 보일 정도다.

"전에 샤인라이트 이야기했던가?"

"아, 샤인라이트 신화 클래스 스토리 말이지?"

"응, 첫 신화 클래스."

나는 약 3시간 동안 사랑과 떠들었다.

목적을 가지고 온 자리지만, 바로 그 주제를 꺼내는 건 아마추어나 하는 짓이다.

'뭐, 그게 아니어도 도움 되는 정보가 많기도 하고.'

나는 이야기의 흐름을 자연스럽게 이끌다가 충분히 괜찮다고 생각되는 타이밍에 말했다.

"그걸 지하에 있다고 하면 어때?"

"어? 지하? 그냥 월드 던전들처럼 이세계에 있다는 게 편하지 않을까? 어차피 이동 주문서로 날아가잖아?"

너무나 당연한 반론은 이미 예상하고 있던 것.

나는 그녀를 설득했다.

"거꾸로 가는 탑이잖아. 지하 1층, 지하 2층, 3층…… 이런 식으로 점점 더 깊은 곳으로 향해 지옥으로 걸어 들어갈 거라면 굳이 이차원보다는 땅 속 깊은 곳에 있다는 편이 낫지 않을까?"

"아니, 그래도 이미 있는 탑인데……."

여태껏 없던 부탁에 난감해 하는 사랑의 손을 잡는다.

"해 주라. 응? 텍스트 몇 줄만 바꾸면 되잖아."

"……!"

사랑의 표정이 돌처럼 굳는다.

'앗, 화났나? 설마 실수인가?'

불안해했지만 다행히 그녀는 화내는 대신 어색한 목소리로 말했다.

"어…… 그, 그래 뭐. 어려운 일도 아니고……."

"고마워! 내가 위치를 생각한 곳이 있는데."

다행히 설득이 잘 먹혔다.

그리고 다음 날.

[지옥탑]

대륙 땅 깊숙한 곳에 박혀 있는 탑.

거꾸로 되어 있기에 층을 이겨 낼수록 깊은 곳으로 파고들어 지옥탑이라 이름 붙었지만, 막대한 재화와 보물이 쏟아져 수많은 모험자들이 도전하고 있다.

"됐어."

인게임 내에서 바뀐 텍스트를 보고 주먹을 불끈 쥔다.

당연한 말이지만 고작 텍스트 수정에 관심 있는 플레이어는 아무도 없다. 하기야 플레이 내용에는 바뀐 게 없는데 누가 관심 가지겠는가?

그러나 이 텍스트 수정으로 나는.

"야옹."

"아, 제발."

철렁해서 체다를 확인한다.

다행히 문자였다.

**[콜라곰 : 현일이다. 임무가 잡혔어.]**

"드디어."

예전부터 큰 수익이 될 것이라 기대했던 용병 일은 지구로 초월급 몬스터들이 쳐들어오면서 백지화되었다. 지구의 초월자들이 일종의 비상 상황을 위한 전력으로 지구에 묶이고 말았기 때문이다.

물론 그냥 묶어 둔 것은 아니어서 나름의 돈을 받았지만 직접 임무를 뛰는 것보다는 당연히 못하다.

"체다. 하겠습니다. 관련 정보를 보내 주세요. 라고 답 부탁해."

그 사이 주식을 구매한다.

'그래, 계속 사면 그만이다.'

이번 주식 실패로 인한 타격은 실로 어마어마하다. 500억. 아니, 이제는 거의 600억에 달하는 손해는 가슴이 아프다 못해 찢어질 정도.

그러나.

"다시 벌면 돼."

나는 초월자고, 게임 마스터의 사도이며, 탑스타인 동시에 수백 명의 작가를 이끄는 사장이기도 하다.

수백억이 아니라 수천억이라 해도…… 돈은 나에게 결국 시간 문제다.

손해를 아무리 본다 해도……. 막말로 몇 년 더 벌면 되는 문제 아니겠는가?

"로그인."

아르데니아로 들어간다.

그리고 부관에게 대충 말을 남긴 뒤 만독성 근방의 황야로 이동했다.

거리로 치면 약 500미터.

말이 좋아 근방이지 이 정도면 지척이나 다름없다. 인류제국의 궁수들의 유효 사격 거리.

그리고 무엇보다.

'방어 타워의 사거리 안이지.'

"랜드웜."

콰과과과!

부름에 기어 다니는 빌딩. 랜드웜이 모습을 드러낸다.

[뭐야. 어디 가?]

"그건 아니고 땅 좀 파자."

[……?]

랜드웜은 내 말을 이해를 못한 분위기였지만 순순히 나를 태우고 땅으로 파고들었다.

100미터 200미터를 넘어 500미터에 가까운 굴착.

그리고 마침내 도달한 곳은.

그저 평범한 암반층이다.

"역시 없나."

[뭘 찾아?]

"지옥탑이라는 걸 좀."

리벤지에는 [신화의 탑]과 [월드 던전]이라는 게 존재한다. 신화의 탑은 문자 그대로 신화 몬스터들이 나오는 최상위 콘텐츠였고, 월드 던전은 바로 그 아래에 자리한 3개의 위치한 콘텐츠다.

지옥탑, 대마경, 무한미궁.

리벤지에서 이 세 던전은 걸어서 가는 장소가 아니다. 하루에 3번 골드를 바쳐 날아갈 수 있는 장소로, 리벤지 모든 플레이어를 강제로 충돌시켜 과금을 유도하는 사냥터이자 전장.

그러나 우편이나 퀘스트 NPC들과 마찬가지로 이것들은 구현이 안 되어 있었고 [없는 던전을 새로 만드는 것]은 어지간한 주식으로 가능한 일이 아니었기에 지금껏 시도하지 못했다.

'설사 가능하다 해도 시간제이니 의미가 없지.'

그러나 이렇다면 어떨까?

9개의 화점이 그러하듯…… 저 던전이 '원래' 이 세상에 있다면?

"지옥탑을 구현한다."

말하는 순간.

키잉---

눈앞에 떠 있던 주식 텍스트가 지워지듯 사라졌다.

그리고.

팟!

새로운 창이 떠올랐다.

**소유율 : 0.1% 미만.**

**활용 가능 : 8,771.**

"……그래. 언젠가 보게 될 거로 생각했지."

텍스트를 보며 웃는다.

그래, 드디어 나 역시 마주한 것이다.

멀린이 마주했던 흥행력을…….

"그나저나, 0.1% 미만인가."

생각해 보면 거의 정확한 수치이긴 하다. 현재 네메시스 소프트의 상장 주식 수는 약 2,392만 주이니, 내가 가진 2만 주면 0.1%에 살짝 못 미치는 정도였으니까.

'거기에 활용 가능 포인트가 8,771포인트. 이게 수치가 적용된 후라고 가정하면…… 리벤지의 전체 흥행력은 877만 정도라고 봐야겠지.'

다만 이게 높은 수치인지 아니면 낮은 수치인지 모르겠다. 멀린이 들어간 다크 스타, 뭉개진 자루가 들어간 블레이드&매직의 흥행력을 알 수 있으면 좋을 텐데.

나는 문득 든 생각에 왼쪽 팔목에 걸려 있는 시계를 바라보았다.

[제로섬(zero-sum)]

이득과 손해를 합치면 제로가 된다.

[드랍 조정 3단계] 영웅 이상의 아이템을 획득할 시, 그것을 없던 일로 하는 대신 그 확률을 저장한다.

저장된 확률은 원하는 시기에 발동 가능.

4단계 상승까지 99,988포인트 필요.

[이벤트 조정 2단계]

중형 이벤트 발생 시, 그것을 없던 일로 하고 대신 그 확률을 저장한다.

2단계 상승까지 1억 포인트 필요.

[변수 조정 1단계]

[개방에 1,000만 포인트 필요.]

게임신 관대하에게 받은 초월병기(超越兵器), 제로섬(zero-sum).

아르데니아에서 10년을 쉴 때도 제대로 활용한 적이 없다. 이벤트 조정만 2단계로 맞춘 뒤에는 성장도 스톱한 상태.

그러나 그와 별개로.

스텍은 죽어라 쌓아 두었다.

[드랍 조정 3단계]

저장된 영웅 : 700.

저장된 전설 : 311.

저장된 신화 : 1.

"훗."

보기만 해도 배가 부르다. 내가 무얼 위에서 굳이굳이 죽음의 신전으로 찾아가 효율 떨어지는 신화급 잡몹들과 싸웠던가?

오직 이 스텍들을 위해서이다.

'거기다 신화급을 쌓은 건 여러모로 운이 좋았어. 10만 마리도 안 잡은 거 같은데 신화급이 떨어져 주다니.'

신화급 일반 몬스터의 드랍 테이블은 엘더 스켈레톤의 상완골(전설)이나 엘더 스켈레톤의 척추(전설). 엘더 스켈레톤의 코어(신화) 따위 아이템이나 들어 있어 유저들의 원성이 자자하지만, 어쨌든 드랍 테이블에 전설, 신화 등급이 들어 있다는 게 중요하다.

어쨌든 녀석들을 잡아 이렇게 스텍을 쌓았으니…… 다음에 신화 몬스터를 만난다면 무조건 신화 아이템 하나는 챙길 수 있다.

'거기에 이벤트.'

[이벤트 조정 2단계]

저장된 대형 이벤트 : 1

저장된 중형 이벤트 : 2

한동안 바쁘게 일할 때 종종 발생한 이벤트를 모조리 저장해 두었다.

아직 써 본 적은 없지만…… 이중 하나쯤은 멀린과 뭉개진 자루를 만날 수 있는 종류일 것이다.

"뭐, 차차 생각하도록 하고."

나는 생각을 정리한 뒤 랜드웜의 좌석에 깊이 몸을 묻고는 투명한 랜드웜의 이마 비늘 너머로 보이는 암반층의 모습을 바라보았다.

"지옥탑 패치…… 아니, 아니군."

그리고 말했다.

"업데이트."

웅!

순간 마치 물결이 퍼져 나가듯 대지가 일렁였다.

랜드웜이 미리 뚫어 놓은 구멍이 우르르 무너져 내린다.

8,771 → 4,112

흥행력이 줄어든다. 월드 던전이라지만 고작 던전 하나 업데이트 한 것치고는 상당한 소모.

그러나 그렇다 하더라도.

'이 위치'에 '이 던전'이 자리한다는 건 어마어마한 의미가 있다.

좌상화점 만독성은 수평선이 보일 정도로 거대한 호수 위에 자리한 성이며.

"랜드웜, 호수까지 물길을 터 줘."

[어려울 것 없지.]

지하 500미터에 위치한 지옥탑은 그 호수와 바로 붙어 있는 위치이기 때문이다.

쿠르르……!

랜드웜이 그 빌딩만 한 몸으로 구멍을 뚫어 버리자 살벌한 소리와 함께 지하로 물이 쏟아져 들어간다.

"지옥탑이 규모가 있는 편이니 물이 다 차오르기까지는 꽤 오래 걸리겠지. 최심층까지는 5층이나 되기도 하고."

층 하나하나가 어지간한 도시급이니 당장 따라 내려갈 필요는 없다.

'답답하면 지들이 올라오겠지.'

나는 다시 만독성으로 돌아와 지옥탑에 대한 명령을 내리고 기가스를 비롯한 방어 시스템을 작동시켰다.

이 정도만 해 두어도 방어가 뚫릴 일은 없다.

최악의 상황. 그러니까 지옥탑의 지하 4~5층에 위치한 신화급 몬스터가 벌어진다 해도…… 길드 타워에 머물고 있는 내가 나가기까지 시간 벌이 정도는 할 수 있으리라.

'자…… 그보다.'

길드 타워로 돌아온다.

'흥행력이란 말이지.'

세계 매출 1위에 빛나는 리벤지와 그 리벤지를 운영하는 네메시스지만, 사실 시가 총액은 그리 높지 않은 편이다.

'높지 않은 정도가 아니라…… 낮은 편이지.'

높은 매출이 시가 총액과 꼭 비례하는 건 아니라지만, 네메시스는 좀 과도하게 낮은 경향이 있다.

원인은 여러 가지가 있다.

'일단…… 내수용이다.'

주가라는 것은 꼭 해당 기업의 매출로 정해지는 게 아니다. 해당 기업의 비전과 장래성. 확장성과 영향력 또한 매우 중요한 요소.

그런 면에서 블레이드&매직, 대전쟁 같은 게임들은 34지구뿐 아니라 대우주 전체에 위명이 쟁쟁한 인기 게임이며, 상위 랭킹에 들어가는 것만으로도 기업들이 알아서 모셔가는 수련용 시뮬레이터이기도 하다.

반면 리벤지는 어떠한가?

34지구 원툴에 돈 써서 놀면 끝나는 게임.

애초에 이 과금 게임은 대우주에 진출할 만한 게임이 아니다. 이런 미친 수준의 과금 게임을 굳이 다른 문명에서 플레이할 이유가 없는 것!

'완전 가상현실. 이것도 다른 문명에서는 큰 메리트가 아니지.'

34지구처럼 인류의 99% 이상이 영능력자인 문명은 우주 전체를 뒤져도 몇 없다. 보통의 지성체는 시각, 청각, 촉각 정도만 씌워도 충분히 가상현실이니, 네메시스가 자랑하는 완전 가상현실 기술의 의미가 크게 떨어질 수밖에 없겠지.

영능 훈련용으로 쓸 만하지 않아요? 라고 물을 수도 있겠지만.

'훈련은 굳이 100% 현실성이 없어도 충분하다.'

실제로 나 역시 부분 가상현실인 시뮬레이터로 차크라 수련을 잘만 했다.

"흠."

집무실 책상을 손가락으로 딱딱 소리가 나게 치며 생각을 정리한다.

지금 내 소유율은 0.1%다. 즉, 리벤지의 전체 흥행력 중 극히 일부만 쓸 수 있다는 뜻.

내가 여기에서 흥행력을 올리기 위해서는.

"주식을 잔뜩 사서 대주주가 되거나…… 리벤지가 대우주에서도 알아주는 게임이 되거나인가."

당연한 말이지만 후자는 내가 어찌할 수 있는 일이 아니다. 이미 사랑이 90% 이상의 재투자로 최선을 다하는 영역이 아니던가?

그렇다면 일단은 주식을 사는 게 먼저이다.

"시가 총액이 낮은 게 오히려 좋은 일이네. 블레이드&매직이나 리얼 스테이지. 대전쟁 같은 게임이었으면……지금보다 훨씬 어려웠을 거야."

예를 들어 매출은 리벤지가 1등이지만, 시가 총액은 스카이 소프트가 네메시스의 8배는 높다.

심지어 대전쟁 같은 게임은 수백 개의 행성과 은하를 지배하는 레온하르트 제국의 황실에서 직접 운영하니 주식을 구매 자체가 불가능한 상황이니 차라리 리벤지 하나 굴리는 게 전부인 네메시스인 게 다행이라고 봐야겠지.

더불어 주식이 떨어지고 있는 상황 역시 나쁘지 않다.

'그래. 어차피 주식을 무한정으로 사야 한다면…… 차라리 떨어지는 게 낫다.'

당장 본 손해는 가슴이 아프지만 결국 사고자 했던 주식을 샀을 뿐이다.

단순히 주식이 바닥을 긴다고 회사가 망하지는 않는 법.

물론 주식이 너무 떨어지면 다른 큰손이 끼어들어 주식을 사들이는 문제가 생길 수 있다. 이는 곧 경영권에 적신호가 켜진다는 말이지만…… 주식이 떨어지는 대로 주워 모으는 내가 네메시스의 우호주로 존재한다면 아무런 문제가 없으리라.

다만 이렇게 되면 주식으로 돈 버는 건 포기해야 한다는 문제가 생긴다.

"뭐, 돈은 일해서 벌어야지."

이제 나 스스로의 경우는 과금할 것도 없다. 컬렉션도 거의 다 채웠고, 핵과금 콘텐츠들도 상당수 적용시켰다.

과금력도 이제는 남아도는 상황이니 한동안은 주식이나 사는 게 좋은 듯하다.

"로그아웃."

지구로 돌아온 나는 어둑서니와 논의해 스케줄을 정리했다.

다행히 영화 촬영은 끝나 있었고, 예능도 고정이 아니라 게스트 중심이었기에 크게 문제 되거나 할 건 없었다.

"안녕하십니까!"

용병 관리청 임무 대기실에 도착해 인사하자 장비를 점검 중이던 어르신들이 나를 발견하고는 반색한다.

"오! 막내 왔구먼!"

"임무 인원이 왜 이리 적나 했더니, 이런 서프라이즈가!"

"소문의 실력을 볼 수 있는 건가."

배정된 임무에 투입되는 용병은 총 다섯이다.

전위 담당 나가노 가츠(118세).

저격 겸 관측 담당 톰 홀리데이(135세).

치료 겸 버프 담당 신지연(127세).

결계 담당 한석두(121세).

그리고 나(26세).

'와. 나이들이…….'

역시나 어르신으로 가득한 우주 용병이라는 건지 평균 연령이 미쳐 돌아간다.

'이게 인간 파티 맞나? 엘프 파티 아닌가?'

그러나 모두 최상급 능력자이기에 힘들어하는 기색은 전혀 느껴지지 않는다. 오히려 지금이 인생 전성기라는 느낌까지 난다.

“자! 확인 끝! 열차 시간이 되어 가니 슬슬 출발합시다!”

석두의 말에 모두 자리에서 일어난다.

아직 정확한 과정을 모르는 나는 그들의 뒤를 종종 따라갔다.

이내 우리는 온갖 술식이 빼곡하게 적혀 있는 거대한 방 안에 들어섰다.

“그런데 괜찮은겨?”

방의 중앙에 선 후 가츠가 묻는다. 생체력 수련자인 그는 118세라는 나이가 무색하게 건장한 30대 후반의 나이로 보인다.

“앗. 어르신. 뭐가 말씀이십니까?”

“기가스가 없잖어. 우주전을 하게 될 텐데…….”

용병 관리청의 용병들은 100% 기가스 파일럿으로 이루어져 있다. 하기야 주전장이 우주인데 어찌 맨몸으로 활동하겠는가?

기가스는 너무나 강력한 병기다.

자신이 어떤 능력을 수련했건, 또 어떤 신념을 가지고 있건 기가스는 무조건 쓰는 게 정답이다. 현대전에서 기가스를 안 쓴다는 건 2차 세계대전 때 총을 안 쓰는 것이나 다름없겠지.

내가 초월자가 아니었다면 기가스가 없다는 점 때문에 용병 활동이 크게 제한되었을 것이다.

"아, 걱정하실 필요 없습니다. 우주에 자주 가 보는 편이니까요."

"뭐? 개인 기가스나 우주선이 있는 거야?"

가츠의 말에 씩 웃는다.

"뛰어서 대기권을 돌파할 수 있습니다."

내 말에 네 노인이 모두 입을 쩍 벌린다.

"와, 점프로 대기권을 돌파한다고?"

"흐미 미친 거 아닌가?"

"초월자 진짜 장난 아니긴 하네."

"하긴 걱정을 해 줄 상대가 따로 있지 초월자를 무슨."

잡담을 나누고 있을 때였다.

또르르르르르----!

기묘한 멜로디가 울려 퍼진다. 슬쩍 고개를 돌리니 방 한편에서 복잡한 기계들을 조작하던 마법사들이 손을 흔드는 모습이 보인다.

안내 방송이 울려 퍼진다.

[지금 레온하르트 제국 천목성(天木星). 천목성 가는 열차가 접근하고 있습니다. 탑승자분들께서는 저항력을 낮춰 주시고 워프 충격에 대비해 주십시오.]

[다시 한번 안내해 드립니다. 지금 레온하르트 제국 천목성(天木星). 천목성 가는 열차가 접근하고 있습니다. 탑승자분들께서는 저항력을 낮춰 주시고 워프 충격에 대

비해 주십시오.]

안내 방송과 함께 바닥의 마법진이 빛나기 시작한다. 나는 어르신들을 따라 그 한가운데로 이동했다.

그리고 어느 순간.

[레온하르트 제국 천목성(天木星). 천목성 가는 열차가 도착했습니다.]

[워프를 시작합니다. 3. 2. 1…….]

팟!

로그인, 로그아웃을 할 때처럼 한순간에 배경이 변한다.

어느새 우리 일행은 고급스러운 느낌의 기차 안으로 이동한 상태였다.

"아, 드디어 여기에 와 보는군요……."

"후후. 우리 초월자 막내 이제야 좀 초짜 같네. 용병 생활 계속하면 지겹도록 오게 될 거야."

"자자! 서성이지 말고 자리에 가서 앉아!"

"아오 나는 좀 자야지……."

어르신들이 각자의 자리로 가 눕는 모습을 뒤로하고 나는 투명한 창가에 붙었다.

광활한 우주의 보인다.

“신기하군…….”

우주는 넓다.

문제는 그냥 넓은 정도가 아니라. ‘너무너무’ 넓고 광대하다는 데 있다.

이 광활한 우주에는 수천억 개의 은하가 존재하는데, 고작 그중 하나의 은하에서 다른 은하로 가는 데만 해도 광속으로 10만 년, 심하면 100만 년, 1,000만 년이 걸린다.

이는 하위 문명이나 필멸자에 한한 이야기가 아니라서 신. 그러니까 언터쳐블조차도 우주의 끝에서 끝까지 가려면 어마어마한 희생과 투자가 필요할 정도.

‘그리고 거기에서 나온 게 바로 스타 게이트와 아스트랄 드라이브지.’

그중 스타 게이트(Star gate)는 제작, 유지에 황제 클래스의 마법 사용자. 즉, 10클래스의 대마도사가 필요하기에 대중적이지 못하니 대중적으로 쓰이는 건 아스트랄 드라이브다.

아스트랄 드라이브(Astral Drive).

그것은 4문명의 끝에 도달한 캔딜러 성인들이 만들어낸 초과학과 마법의 합작품이다. 광속이라는 일종의 [한계를 넘기 힘든 물리법칙의 제약]에서 자유롭기 위한 결과.

물질이 빛보다 빠르려면 무한대의 에너지가 필요하다.

하지만 대상이 물질이 아니면 어떨까?

아스트랄 드라이브는 우주선 자체를 아스트랄계로 이동시켜 중첩가속(重疊加速)을 시행한다. 어느 정도 속도가 올라가면 저항에 부딪치는 물질계와 다르게 물리법칙의 영향 밖에 있는 아스트랄계에서는 속도가 빨라진다고 우주선을 막아서는 존재가 없기 때문이다.

아스트랄 드라이브를 가속하면 최초에는 극도로 느린 속도를 내게 된다.

우주선도 아닌 비행선에 불과한, 극히 느린 속도.

그러나 가속(加速)이 중첩(重疊)되기 시작하면 속도는 점점 빨라진다. 일주일, 보름, 한 달, 심하면 년 단위까지 계속해서 속도를 더해 가기만 하는 것이다.

그리고 그렇게 가속이 계속되면 우주선은 물질계에서는 어마어마한 에너지가 소모되어야만 도달할 수 있는 광속을 가볍게 넘어서며.

마침내 광속의 수십 배, 수백 배, 수천 배 이상 가속한다.

이론상 중첩가속은 무한정 속도를 높일 수 있다. 물론 그만한 에너지가 필요하기는 하지만 스타 게이트의 도움 없이 수십 개의 은하를 넘는 게 가능해지는 것이다.

'물론 거기에도 한계가 있지.'

아스트랄 드라이브의 중첩가속은 일단 가속이 붙기만 하면 광속의 수백 수천 배도 가능하지만 그렇게 가속하기까지 시간이 들어간다는 게 문제다.

길면 몇 달이 걸리는 가속을 언제 기다린단 말인가?

그러나 기술의 발전은 그 한계마저 넘어서는 결과물을 만들어 냈고, 게임 마스터 관대하는 자신의 권능으로 그것을 대중화시켰다.

기술적으로, 권능적으로 엄청나게 긴 설명이 필요하지만 요점만 말하면 원리는 간단하다.

아스트랄계에 이미 충분히 가속한 [열차]가 존재하고.

탑승자는 워프로 이미 가속한 열차에 탑승하는 것.

그것이야말로 34지구가 대우주 전체에 어마어마한 영향력을 자랑할 수 있게 만드는 아스트랄 정기 운행 시스템.

속칭 [은하철도]다.

'내가 이걸 타게 되는군.'

당연하지만 아무나 이용할 수 있는 시설이 아니다. 부유하기로 유명한 34지구에서도 우주여행을 경험하는 인구는 1%도 되지 않는다는 걸 생각하면 은하철도의 이용층은 재벌이나 초고위 능력자, 고위 공무원, 장성, 그리고 우주 용병 정도겠지.

[저희 롱기누스7에 새로이 탑승해 주신 승객분들 안녕하십니까.]

느닷없는 영언(靈言)에 고개를 돌린다.

그곳에는 모자를 깊게 눌러써서 최대한 얼굴을 가리고 있는, 누가 봐도 승무원임을 쉽게 알아볼 수 있도록 '롱기누스7'이 새겨진 승무원 유니폼을 입은 존재가 있다.

인간은 당연히 아니다. 장갑까지 걸치고 온몸을 유니폼으로 최대한 꽁꽁 싸맸음에도 불구하고, 일부 드러난 얼굴 부분에는 눈, 코, 입 대신 환한 빛무리만 가득하다.

[롱기누스7의 차장인 빠른 석양입니다. 표 확인 후 자리로 안내해 드리겠습니다.]

"아, 저희는 여러 번 이용했으니 막내만 안내해 주면 될 거예요."

그렇게 말하며 신지연이 용병증을 꺼내든다. 검은색의 카드에 광택이 번뜩이자, 그녀가 앉은 좌석 주변이 솟구치더니 이내 출입문이 달린 벽으로 변해 공간 분리가 이루어졌다. 하나의 작은 방이 만들어진 것이다.

[오! 34지구분들이셨군요! 게임신님 짱짱맨! 믿습니다!]

빠른 석양 차장이 웃으며 내게 다가왔다. 경박한 태도였지만, 말 자체는 진심으로 보인다.

"게임 마스터님의 사제십니까?"

[아쉽지만, 아니요. 다만 퀘스트를 수행 중이긴 합니다! 조만간 사제가 될 수 있을 테지요!]

당연하지만 신 중에서도 최상급인 게임 마스터에게는 그를 추종하는 사제들이 존재한다.

'하기야 내가 바로 게임신의 사도이긴 하지. 리벤지 시스템 때문에 스킬 북도 스텟 북도 없는 야매긴 하지만.'

게임 마스터의 사제는 다른 신의 신관들과 전혀 다른

과정을 거쳐 임명된다. 속칭 '전직 퀘스트'라고 불리는 과정으로 그것을 완료해야만 사제로서 게임 마스터의 신성력을 다룰 수 있게 되는 것.

그리고 그것은 일반적인 신성력과 전혀 다른 종류의 힘이다.

'기가스 파일럿들에게 절대적인 신성력이지.'

게임신의 사제들은 다른 신의 성직자와 전혀 다른 권능을 사용할 수 있는데, 이는 평상시보다 기가스를 탑승했을 때 극도의 효율을 보인다.

똑같은 실력의 기가스 파일럿이라도 게임 마스터의 사제냐, 그 등급이 어떠냐에 따라 몸값이 2배에서 최대 10배까지 벌어질 정도니 더 말할 필요도 없겠지.

"차장! 가져온 짐은 화물칸에 넣을게."

[알아서 척척 감사합니다.]

쾌활한 어투로 손을 흔든 빠른 석양 차장은 다시 나를 향해 돌아서더니 설명을 시작했다.

[저희 롱기누스7은 52개의 은하철도 중 13번째로 제작되었습니다. 주로 레온하르트 제국령을 순환하며 5에서 8량의 객실을 유지하고 있지요. 현재 롱기누스7의 객실은 총 6량이며 여기는 3번 객실입니다. 다른 객실에 찾아가도 상관은 없지만, 정숙은 지켜 주시길!]

나는 그의 안내에 따라 내 좌석에 앉았다. 개실 하나의 크기가 보통 기차의 2~3배만큼 큰데 좌석은 6개뿐이니 하나하나의 공간이 꽤 넓다.

"괜찮군요…… 좀 더 좁을 줄 알았는데."

몸이 푸욱 잠길 정도로 푹신한, 거의 침대에 가까운 좌석에 앉자 빠른 석양 차장이 설명을 시작한다.

[벽은 보이는 레버로 조절하시면 우주를 볼 수도, 영상물을 볼 수도 있게 되는 일종의 디스플레이입니다. 그리고…….]

자리는 꽤 호화롭다. 소파 옆 테이블 위에 놓여 있는 다양한 종류의 간식과 음료는 먹는 즉시 바로바로 채워지기 때문에 부담 없이 마음껏 먹을 수 있고 언제든 즐길 수 있는 게임, 노래방 등등의 다양한 엔터테인먼트와 운동을 할 수 있는 시설물들을 소환할 수 있는 작은 소환구, 스마트 펫을 둘 수 있는 쿠션까지.

이쯤 되면 객실 좌석이라기보다 작은 호텔이라고 봐도 좋을 정도다.

[크. 정말 대단하지 않나요? 예전엔 은하철도가 우로보로스에서 운행하는 한 개뿐이었는데, 그걸 52개까지 늘리고 공간은 더욱 여유로워졌습니다. 그야말로 게임 마스터님의 은총이라 할 수 있죠.]

"아, 네……."

우주에서 가장 발달한 과학 기술을 가졌다는 캔딜러족 차장은 어지간히 게임 마스터의 빠돌이인 듯하다. 하기야 그러니 노블레스인 그가 열차의 차장을 하고 있겠지.

[보셔서 아시겠지만, 그냥 좌석 상태로 유지할 수 있고

격벽을 세워 지금처럼 룸 형태로 만들 수 있습니다. 도움이 필요하시면 문 옆에 있는 호출 버튼을 눌러 주세요.]

"네, 감사합니다. 빠른 석양 차장님."

[그럼 즐거운 여행되시길.]

나는 좌석에 앉았다. 테이블 위로 체다가 올라선다.

그대로 배를 두들겨 리벤지를 실행한다.

–아스트랄 채널에 입장합니다.

–현재 입장 인원 : 123명.

리벤지는 유저풀이 그리 넓은 게임이 아니다. 가입자 수나 동시 접속자 수로만 보자면 매출 1위는커녕 10위권에도 못 들어갈 수준.

그러나 그 사실을 바꿔 생각하면 그만큼 소수 정예(?)의 고객에게 집중한다는 뜻이고, 그렇게 굴러 가는 게임이기에 VVIP에 대한 배려가 아주 잘되어 있다.

이면 세계에서도, 아스트랄계에서도 게임을 돌릴 수 있을 정도로 말이다.

"다른 사람이 없어서 자동 사냥 돌리기는 좋네. 레이드 보스가 젠 되지 않는 건 아쉽지만……."

나는 자동 사냥을 돌려 둔 뒤 바르게 앉아 필사를 시작했다.

다른 어르신들은 잠을 자거나 식사를 하고 있었지만,

나는 그럴 필요가 없다.

아르데니아에서 먹고 자면 되기 때문이다.

'요새는 아르데니아 요리도 꽤 먹을 만하단 말이지. 역시 발전은 여유에서 오나.'

나는 쉬지 않고 필사했다.

어르신들은 크게 신경 쓰지 않았다. 나는 단순한 막내가 아닌 초월자이기 때문이다.

지잉.

그렇게 작업을 이어 가는 와중 객실 문이 열린다.

"오! 인간들이네요. 소문의 우주 용병인가 본데요."

"34지구, 마스터가 몇억 명이 넘는다는 거기지?"

모습을 드러낸 이들은 인간과 비교적 흡사한 외모를 가졌지만, 그럼에도 아인종이라 부르기는 모호한 존재들이었다.

'……원숭이?'

세 명의 원숭이는 각기 다른 복장을 걸치고 있다. 동양풍의 하늘하늘한 무복을 걸친 녀석이 하나. 양복에 안경까지 쓰고 있는 녀석이 하나. 작은 키에 셔츠에 니트를 간단히 걸친 녀석까지.

개중 양복을 입은 원숭이가 말한다.

"목소리 좀 죽여라. 이것들아. 공공장소에서는 예의를 지켜야지 너희 같은 녀석들 때문에 우리 석원족이…… 음?"

차분하게 말하던 원숭이와 눈이 마주친다. 지적인 분위기를 풍기는 그의 눈이 가늘어진다.

"호오…… 제법."

"왜 그러세요. 교수님?"

작은 원숭이의 말에 원숭이가 씩 웃는다.

"좋은 걸 봐서. 생체력은 정말 대단하군. 제대로 정립된 지 몇백 년 되지도 않은 학문인데."

그가 나를 마주 보며 슬쩍 고개를 숙여 인사한다. 나 역시 마주 고개를 숙여 주었고 그들이 우리 객실을 지나쳐 다음 객실로 넘어간다.

나는 놀랐다.

'엄청난 강자.'

신화급 몬스터들은 물론이고 천현일 청장보다도 확연히 아득한 감각이었다.

'그러고 보니 석원족이랬지?'

흔히 돌원숭이라 불리는 종족이다. 선계 최강의 투신 제천대성 손오공의 일족으로 유명한 그들은 노블레스에서도 꽤 큰 세력을 가지고 있다.

'드래곤보다도 보기 힘든 녀석들인데 운이 좋네…… 그러고 보니 다른 객실에는 저런 녀석들이 더 있겠군?'

문득 드는 호기심에 자리에서 일어나 객실을 죽 훑고 지나간다.

"집사야. 쓰다듬어랑."

"네, 도련님."

"집사야. 먹을 걸 바쳐라."

"네, 도련님."

소파에 누워 고롱고롱대는 프라야나와 그를 수행하는 집사가 있다.

"오, 또 새로운 강자구려. 과연 우주가 넓다는 걸 알겠소……."

좌석에 정좌하고 앉아 있는 초월자급 무사가 있다.

"드르렁……."

몸을 둥글게 말아 잠자고 있는 요정룡, 페어리 드래곤까지.

'과연 은하철도인가.'

이용객 하나하나의 면면이 예사롭지 않다. 물론 개중 몇은 그냥 돈만 많아 보이기도 했지만, 그들조차도 각자의 문명에서 명성이 자자한 유력자일 것이다.

"재미있군."

굳이 그들에게 말을 거는 대신 내 자리로 돌아왔다.

'이제 시작인데 일일이 호들갑 떨 필요는 없겠지.'

그렇게 출발 후 30시간.

[다음 역은 레온하르트 제국 루테 행성 입니다. 다음 역에서 내리실 분들께서는 오른쪽 문을 이용하여 주시기 바랍니다.]

[다시 한번 안내해 드립니다. 1시간 4분 51초 후 루테

행성에 도착합니다.]

음악을 듣거나 책을 보던 어르신들이 하나둘 자리에서 일어난다. 나 역시 필사를 멈추고 벗어 두었던 양복을 걸쳤다.

'빠르긴 빠르네.'

빛의 속도로도 까마득히 오랫동안 날아가야 할 거리를 고작 30시간 만에 주파한다. 이런 게 한 개도 아니고 쉰 개가 넘게 우주를 날아다니니 고작 태양계 하나를 영역으로 하는 34지구의 이름이 전 우주에 울려 퍼지는 것이다.

[워프를 시작합니다. 3. 2. 1…….]

팟!

일행과 함께 공간을 넘는다.

'다른 문명인가…….'

아르데니아와 지구라는 두 세계를 오가는 나지만 우주로 나와 새로운 영역에 발 디딘다는 것은 꽤 신선한 흥분이다.

다른 별, 다른 문명.

그것은.

쿠콰쾅!

"……뭐야. 워프 사고인가?"

한석두가 당황해 주변을 둘러본다.
우리가 도착한 곳은 어떤 시설이 아닌 엉망으로 파괴된 폐허였다.
"아니. 이 위치가 맞아. 생각보다 상황이 심각한가 보군."
톰 홀리데이의 말대로 발아래에는 깊이 새겨진 마법진이 있다.
그리고 저 멀리 언덕에서는.
쿠구궁!
새까만 강기가 하늘로 솟구치고 있다.
"작전 시작한다. 스킬 북! [기가스 콜]."
"스킬 북! [기가스 콜]."
"스킬 북! [기가스 콜]."
"스킬 북! [기가스 콜]."
거의 동시에 네 기의 기가스가 나타나 어르신들을 집어삼킨다. 기가스가 공간을 열고 나타나 탑승하기까지의 일련의 흐름이 어찌나 자연스럽고 신속한지 웬만해서는 그 탑승을 막을 수 없을 정도다.
[결계 설치를 시작하겠다.]
한석두의 인급 기가스 장보고가 대지를 물처럼 가르며 잠겨 든다.
그 옆으로 신지연의 인급 기가스 나이팅게일이 붙었다.
[원거리에서 지원할게.]

두 기가스가 땅속으로 사라지자 톰 홀리데이의 인급 기가스 카를로스가 가볍게 한 걸음 물러난다.

[포인트로 잡고 저격을 시작하지.]

스스슥.

4미터가 넘는 거인이 연기처럼 사라진다.

어느새 남은 건 나와 가츠뿐이었다.

가츠가 나를 보며 말했다.

[다음 열차 시간까지 31시간 30분 11초 남았다. 그 안에 상황을 해결하면 일찍 집에 가는 거고, 놓치면 일주일 넘게 더 있어야 해.]

저 멀리 초월자급 몬스터의 기세가 느껴짐에도 가벼운 태도. 나 역시 피식 웃으며 고개를 끄덕였다.

"서두르지요."

[좋은 자세. 자~ 드가자~!]

쾅!

인급 기가스 카렐린이 벼락처럼 내달린다.

"……역시 어르신들 보통이 아니시네."

굳이 작전을 짤 필요조차 없다. 그들은 100년 가까이. 어쩌면 100년 이상 싸워 온 전투의 스페셜리스트.

'신경 쓰지 말고 내 할 일이나 잘하자!'

팡!

나 역시 땅을 박차고 돌진한다.

[으앗?! 빨라!]

기겁하는 가츠를 삽시간에 추월해 한걸음에 폐허를 지나치자 좁은 도로와 아기자기한 빌딩들이 모습을 드러낸다.

"어서 빨리 뛰어!"

"대피소로 이동해!"

외계의 언어들이 용병증의 기능에 의해 통역되어 내 귀로 들어온다.

참고로 통역되지 않은 소리는 이러하다.

"멍멍! 멍멍멍!"

"무에야오오옹!"

"메~!"

"와…… 알고 왔지만 이건."

도로를 따라 옷을 차려입은 동물들이 달리고 있다.

수인(獸人)이 아니다.

인간처럼 옷을 입고 심지어 인간처럼 두 발로 걷지만 그들의 모습은 완전한 동물의 그것이다.

그것도 다들 작아서 평균 키가 60센티를 간신히 넘을 정도.

'여기가 우주적으로 유명하다는 휴양 행성 루테.'

속칭, 주토피아.

콰과광!

"하하하하!"

"제길! 쏴라! 계속 쏴! 물러서지 마라!"

"하지만! 막을 수가 없습니다!"

온갖 첨단 무기로 무장한 동물 병사들이 마구 폭격을 가한다. 그러나 쏟아지는 레이저 사격도, 몸을 보호하는 배리어도 다 소용이 없다.

"저, 괴물……!"

"어찌 검 한 자루로 저런……!"

군복을 입은 도베르만들이 침음을 삼키는 모습이 보인다. 그들은 연신 방아쇠를 당겨 레이저를 쏘아내고 있지만, 그 어떤 공격도 호신강기를 넘어서지 못한다.

"파워포스 분들이 올 때까지 버텨야 해!"

"제길! 화력이 부족해! 기가스는 더 없어?"

"다 파괴되었어! 지금 싸우고 있는 게 전부다!"

도베르만과 핏불테리어의 대화를 들으며 전진한다.

뒤늦게야 나를 발견한 개들이 깨갱하고 비명을 지른다.

"몬스터!?"

"아냐, 인간이다. 이 식별 코드는…… 우주 용병이다!"

땅을 박찬다. 인벤토리에서 마검 히페리온을 꺼내 들고 귀여운 동물들을 학살하고 있는 사내에게 달려들었다.

쩌어엉-!

검강과 검강의 충돌에 대지가 쩍하고 갈라진다.

"크!? 네놈은 어디에서……!"

강기와 강기에 담긴 힘은 호각(互角). 그러나 육체적

성능, 특히나 근력은 그렇지 않았다.

쿠웅!

검과 검을 맞댄 채 힘 대결에 들어가자 녀석의 몸이 속절없이 밀린다.

나는 몰려오는 기쁨에 활짝 웃었다.

"만나서 반가워."

아주 잘 만났다.

"마검왕."

히페리온을 한 자루 더 뽑을 것이다.

그리고 그래서.

소켓을 전투용으로 채운 예비용 검을 만들고 말 것이다.

쩍!

마검왕 발밑의 지반이 내려앉는다. 녀석은 내 검을 떨치고 벗어나려 했지만 이런 식으로 힘 싸움에 들어갔는데 힘이 약한 쪽이 그냥 물러나는 건 죽겠다는 소리나 다름없다.

'적어도 내 자세를 무너트려야 한다.'

당연하지만, 녀석도 그것을 알고 있었다.

콰악-!

순간 녀석이 들고 있는 검에서 새까만 기운이 폭발한다. 그것은 이내 칠흑의 거인이 되어 내 몸을 후려치려 들었다.

"히페리온."

[하…… 진짜로 내가 또 있네.]

히페리온에서 폭발한 칠흑의 기운이 역시 거인의 형상으로 변해 날 공격하던 또 다른 자신을 막아선다.

[그럼 치워야지.]

쾅!

덕분에 나는 방해받지 않고 힘 싸움을 이어 갈 수 있었다.

뿌득!

마검왕의 어깨에서 위험한 소리가 난다.

여유롭던 그의 얼굴이 흉신악살처럼 일그러지고 굵은 핏줄이 툭툭 튀어 오른다.

'그래도 제법 버티네.'

마검왕의 육체 능력은 실로 대단했다. 하기야 절대 고수쯤 되면 외공(外功) 역시 예사롭지 않은 수준이기 마련이고, 강기가 육신을 휘감으면 어린아이의 근력으로도 복합 장갑을 종잇장처럼 찢어 버릴 수 있게 되니 어쩌면 당연한 일이라 할 수 있으리라.

'하지만 부족해.'

그러나 아무리 강해 봐야, 맨손으로 차원을 찢는 근력을 이겨 낼 수준은 아니다.

끼이익!

히페리온을 잡고 있던 양손 중 왼손을 떼어 내자 압도적인 힘으로 마검왕을 짓누르던 히페리온이 흔들린다.

그러나 떨치고 자리에서 일어나기에는 녀석의 자세가

완전히 무너져 있다.

"네, 놈……!"

"우선 한 방."

쩍!

왼 주먹이 마검왕의 얼굴을 후려친다. 머리통을 터트릴 생각이었는데 방패처럼 늘어선 강기가 그것을 막았다.

훌륭한 방어였지만, 문제는 녀석과 나의 구도 자체에는 아무런 변화가 없다는 점이다.

끼이익!

다시 왼팔이 당겨진다. 근육이 수축하고 힘줄이 철근이 휘는 소리를 낸다. 온몸을 휘도는 강기는 육체를 강화함과 동시에 주먹 앞에 집중되었다.

"또 한방."

쩍!

또다시 강기의 방패가 막아 낸다. 그러나 완전히 막아 내었던 좀 전과는 달리 마검왕의 머리가 확 기울었다.

[상황 파악을 완료했다. 막내! 루테 행성에 등장한 초월급 몬스터는 셋. 그중 하나는 양자 폭탄으로 소멸되었고, 또 하나는 수호성좌 파워포스가 상대 중이야.]

미리 연결해 둔 텔레파시 채널을 통해 톰 홀리데이의 목소리가 머리를 전달된다. 나 역시 텔레파시를 날린다.

[나머지는요?]

[잡몹도 수만 마리 이상 남아서 군대와 전투 중이야.

그곳으로는 가츠 씨가 갔고 결계 설치가 완료되어 가니 걱정할 것 없다. 넌 그 녀석만 상대하면 돼.]

[확인했습니다.]

염파를 끊고 왼손을 다시 든다.

쩍!

마검왕의 코에서 피가 터져 나온다. 붉게 충혈된 눈이 무시무시한 살기를 품었다. 그리고 다시 녀석의 머리를 치려는 순간.

천마신공(天魔神功).

멸천(滅天).

콰악!

내 목에 선이 생긴다 싶더니 그대로 피가 뿜어진다.

천마신공의 구명절초.

승리와 패배를 뒤엎는 필사의 검격이 강기와 극의지체의 방어를 뚫어 버린 것!

팟!

내 자세가 무너지는 순간 마검왕이 절륜한 신법을 발휘해 하늘로 솟구친다.

"건방진 애송이 놈! 강대한 육신 하나 믿고 방자하게……."

턱.

그러나 솟구치던 몸이 멈춘다. 내 왼손이 녀석의 발목

을 잡아챘기 때문이다.

마검왕은 허공답보(虛空踏步)의 묘리로 허공을 딛고 검강으로 내 손을 잘라 내려 들었지만, 원래도 강인한 육신이 강기까지 두른 이상 그깟 대충 휘두른 검강으로는 어림도 없다.

치이익……!

만약, 내가 당한 상처가 치명상이었다면 나는 로그인했을 것이다. 아르데니아로 넘어가 치유를 받고 충분한 휴식을 취한 뒤 돌아왔겠지.

그러나 지금. 나는 그럴 필요가 없다. 목의 상처는 벌써 나아 가고 있다.

검강에 실린 저주에 가까운 염(念)으로도 그 재생을 막을 수는 없었다.

"대충 알겠다. 네 수준."

즉.

녀석을 상대로는 로그인조차 필요 없다.

"시시해."

그대로 녀석의 발목을 잡아 패대기친다.

콰과광!

무지막지한 충격에 대지가 파도가 치듯 출렁인다. 강기로 온몸을 휘감은 마검왕조차 타격을 완전히 흘리지 못하고 피를 토한다.

"……."

솔직히 말하면, 녀석을 잡은 손을 놓고 싶다.

녀석을 충분히 쉬게 하고 만전의 상태에서 다시 붙어 보고 싶었다.

내가 얼마나 강해졌는지, 지금의 내가 어디까지 할 수 있는지 확인하고 싶다.

"흥."

그러나 코웃음 한 번으로 잡념을 떨친다.

나는 여기에 일을 하러 왔다.

대기만성(大器晩成)

광섬(光閃)

쩍.

어느새 히페리온이 마검왕의 머리를 쪼개고 들어가 있다. 어느 누구도. 심지어 나조차도 그 과정을 제대로 인식하지 못했을 정도의 빠르기.

그리고 그 직후.

빼- 엉!

무지막지한 굉음과 함께 충격파가 터져 나온다.

"으아악! 나 살려!"

"깨갱! 깽!"

"무에오오옹!"

사방을 포위하고 있던 병사들이 엉망으로 바닥을 구르

고 저 멀리 튕겨 나간다.

그나마 마검왕의 호신강기가 물리력을 어느 정도 중화했으니 이 정도지 내가 이 검격을 허공에 휘둘렀으면 그들 모두가 죽고 말았을 것이다.

"끝…… 그리고…… 카심."

단지 이름을 부르는 것만으로 허공을 가르며 카심이 모습을 드러낸다.

용도는 굳이 설명할 필요도 없다.

촤라랑!

10개 정도의 아이템이 모습을 드러낸다.

그리고 그 순간.

웅!

초월병기 제로섬이 빛난다.

[저장된 드랍 조정량이 감소합니다.]

[전설 311 → 301]

[신화 1 → 0]

'확정 히페리온!'

팟!

아이템들이 등장과 동시에 사라진다.

나는 인벤토리를 열어 아이템을 확인하는 대신 카심의 등에 올라탔다. 카심의 소환 목적은 아이템 회수지만 그걸 너무 티 낼 수는 없기 때문이다.

쾅!

언제나 그랬듯 거친 이륙.

나는 카심의 등에서 텔레파시 라인을 다시 활성화시켰다.

[초월자 하나 처리. 또 다른 녀석을 처리하겠습니다.]

[……와. 뭐가 이렇게 빨라?]

[버프를 걸 틈도 없구먼. 게다가 상처가 너무 빨리 나아서 힐링도 필요 없고…….]

한석두와 신지연의 목소리를 들으며 하늘 높이 날아오른다.

"키에에엑?"

"핏핏빛빛 깃깃발발!"

"환희에 몸부림치는도다! 그분을 경배하며 영원한 찬양을 이어 나가는도다!"

도시 밖에서는 해일과도 같은 몬스터 웨이브가 이어지고 있었다.

다행히 루테 행성의 군인과 경찰들은 그것을 잘 막아내고 있다.

"계속 쏴라! 녀석들이 접근하지 못하게 해!"

"포격 개시!"

쿠콰쾅!

쿠궁!

몰려오는 몬스터들은 쏟아지는 포격에 속절없이 쓰러

졌다.

'생각보다 잘 막아 내고 있는데?'

몬스터 사태의 몬스터들의 레벨 분포는 계단식이 아니다.

'8에서 10레벨. 그리고 그다음이 20레벨의 초월급 몬스터다.'

즉, 중간이 없다. 리벤지식으로 말하자면 회귀나 영웅급 몬스터 이후 바로 신화급으로 넘어가 전설급이 없는 셈.

필드에 전설급만 가득한 아르데니아와는 반대의 상황이었다.

'몬스터의 종류도 많지 않아. 대부분 겹치는 수준…….'

심지어 34지구의 경우에는 잡몹들이 안 나오고 초월급 몬스터만 우르르 쏟아진 경우도 있다.

그야말로 무성의의 극치.

'마치 초월급, 혹은 그 이상의 무언가를 만들다 떨어지는 찌꺼기에 불과한 느낌이…….'

그렇게 생각할 때였다.

훅.

바람이 불어온다. 하늘을 날고 있는 내 옆으로 거대한 머리통이 스쳐 지나간다.

"허?"

[하하하!]

경쾌한 웃음소리와 함께 무지막지한 덩치의 거인이 개미 떼처럼 몰려오는 몬스터 사이로 몸을 날린다.

쿠콰쾅!

"거대화?"

[잡몹들은 신경 안 써도 될 거야. 가츠 녀석이 그쪽 전문이거든.]

놀랍게도 그것은 가츠의 기가스, 카렐린이었다. 커 봐야 수십 미터에 불과하던 그의 기가스가 수백 미터까지 커진 것!

기가스가 아이언 하트의 출력에 비해 지나치게 거대하면 영력의 전달이 힘들어진다는 걸 생각하면 비정상적인 크기다.

일견하기로 랜드웜보다도 커 보이는 그의 기가스가 대지를 짓밟고 쓸어내자 몬스터들이 개미 떼처럼 쓸려 나간다.

그뿐이 아니다.

퍼버벙!

어떻게든 화망을 뚫고 선을 넘어온 몬스터들의 머리가 마치 스스로 폭발하듯 터져 나간다.

접근한 적의 모습에 비명을 내질렀던 동물들이 어리둥절해 할 정도로 압도적인 규모의 저력.

그와 더불어.

"아파…… 아파…… 어?"

"상처가……."

쓰러져 신음하던 부상자들이 하나둘 눈을 뜬다.

땅속 깊이 숨어든 신지연의 나이팅게일이 반경 십수 킬로미터를 범위에 두고 마치 저격수처럼 치료 마법을 날려 대고 있다.

[막내가 마검왕을 금방 처리한 덕에 여유가 많이 생겼어. 결계도 완성되었으니 여기는 걱정하지 말고 남은 초월자를 부탁해.]

나는 놀라움에 휘파람을 불었다.

[확실히…… 믿을 만한 동료가 있으니 좋군요.]

[막내가 건방지기는. 솔직히 초월자를 이렇게 순삭할 지 몰라서 준비하던 주문을 날렸어. 아니 이제 막 초월자에 올랐을 텐데 이렇게 센 게 말이 돼?]

[트리플이래잖아. 트리플!]

[와. 말도 안 된다 진짜. 이 정도면 청장님하고 맞먹는 거 아니냐?]

[너 신족(神族) 맞지? 그렇지?]

[게임 마스터님의 숨겨진 아들이라던데. 진짜냐?]

시끌시끌해지는 통신 채널에 피식 웃는다.

[일부터 끝내죠.]

[그래. 위치는 북서쪽으로 35.45킬로미터. 수호성좌 파워포스는 초월자급 전투력을 자랑하는 성급 기가스지만 시민들을 지키느라 많이 힘든 모양이야. 서둘러.]

[확인.]

통신을 종료한 뒤 하늘을 날고 있는 카심의 등에서 북서쪽을 바라본다.

[22레벨]

**예언의 눈. 딥 아이**

"저번의 그 녀석이군."

라고 생각하는 순간.

녀석이 나를 [보았다.]

쿵!

순간 나는 내가 하늘을 날고 있는 카심의 등 뒤가 아닌 시체로 가득한 평원 위에 서 있음을 깨달았다.

"오, 정신 공격."

이런 걸 당해 보는 게 처음이라 신기하기까지 하다. 정신계에 상대적으로 취약한 생체력 수련자들이 가장 두려워하는 상황.

그러나 절대 고수이자 아트만이기도 한 나는 그렇게까지 취약하지 않고.

"풀자."

무엇보다 더 쉬운 방법이 있다.

쿵. 쿵. 쿵. 쿵. 쿵!

두 눈을 감고 거칠게 박동하는 심장 소리에 집중한다.

쿵. 쿵. 쿵……

심장 박동이 점점 느려진다.

쿵.

그리고 그것이 마침내 멎어 버리는 순간. 차원 송곳 심장(Dimensional awl heart)의 작동이 잠시 멈추고.

슈우욱!

어느새 나는 현실로 돌아와 있다.

"아…… 이 느낌 오랜만이네."

무식한 귀신이 부적을 몰라보는 법이라, 초월자급 정신 간섭 역시 너무나 간단히 떨어져 나간다.

'물론 여러 경험상 중급 이상의 초월자에게는 이마저도 안 통한다는 걸 알고 있지만…….'

그러나 지금 당장은 아무 문제가 없는 상황. 나는 잠시 멈췄던 심장을 뛰게 만든 후 인벤토리를 열었다.

딥 아이의 잡다한 공격 따위보다 더 중요한 걸 확인할 시간이다.

팟!

떠오른 인벤토리 창에서 번쩍이는 금빛을 무시한다. 전설, 물론 좋지만 지금 중요한 건 그게 아니다.

"확정 히페리온!"

그렇게 말하며 신화 아이템을 확인한다.

[혹한의 부름(20레벨)]

마나 계수 2.0

[만년빙(萬年氷)(에픽)]

[영혼동결(靈魂凍結)(에픽)]

[비어 있음]. [비어 있음]. [비어 있음]. [비어 있음]. [비어 있음].

"……어?"

그러나 거기에 히페리온은 없다.

마검왕과는 상관도 없어 보이는, 너무나 잡다해 보이는 팔찌가 거기에 있었다.

"아니, 이게 뭐야……."

히페리온이 아닌 걸 넘어 이건 애초에 마검왕의 장비조차 아니다. 척 봐도 서양풍 판타지, 그것도 마법사용 액세서리가 아닌가?

"로그인."

즉시 아르데니아로 넘어가 집무실에 있는 책장에서 내가 미리 필사해 둔 문서를 찾아냈다. 현실에 등장하는 몬스터 관련 게임에 관한 정보는 이미 다 정리해 놓은 상태다.

[만년빙(萬年氷)(에픽)]

적에게 빙결 데미지를 가하면 최대 마나의 3%를 소모해 피해를 흡수하는 보호막을 얻습니다. (8초 유지)(재사용 대기 시간 30초)

근처에 적이 둘 있으면 보호막의 피해 흡수량이 50%. 셋이면 100%. 넷이면 200%. 다섯이면 400% 추가로 증가합니다.

[영혼동결(靈魂凍結)(에픽)]
적에게 가하는 빙결 데미지에 70%의 영혼 데미지가 더해집니다.

좋은 아이템이다. 특히나 빙결 마법사에게는 종결템이라고 해도 좋을 정도의 효과.
그러나.
"마검왕하고는 아무런 상관도 없는 아이템이잖아?"
심지어 성능도 히페리온보다 훨씬 떨어진다. 같은 최고 등급의 완성품에 20레벨 신화 아이템이라도 명확한 차이가 있는 것!
'하긴, 애초에 히페리온이 비정상적인 수준의 아이템이기는 했지.'
히페리온은 보스 몬스터 마검왕의 전용 아이템으로 플레이어 상점엔 올라오지도 않는다.
마검왕을 쓰러트렸다고?
아무 소용없는 이야기다. 블레이드&매직은 AOS 게임으로 드랍 테이블 자체가 없으니까.
게임 속 모험 모드에서 마검왕을 쓰러트린다고 해도 모

험과 업적이 완료되는 것이지, 아이템이 떨어지지는 않는다.

'하지만 그래서 더욱 히페리온 확정이라고 생각했는데.'

그러나 현실은 빙결 장비.

나는 한숨 쉬며 인벤토리를 털었다. 황금빛으로 빛나는 왕관, 천사의 날개가 달린 상의, 찬란하게 빛나는 장갑과 신발 등을 꺼내 들었다.

"그래. 좋게 생각해야지."

[혹한의 부름(20레벨)]

마나 계수 2.0

[만년빙(萬年氷)(에픽)]

[영혼동결(靈魂凍結)(에픽)]

[금빛 중첩], [금빛 중첩], [금빛 중첩], [금빛 중첩], [금빛 중첩].

그래. 마법사용 장비면 또 어떤가?

'파밍 강화가 되면 그만이다.'

지금의 내 전력이 유의미하게 상승하려면 신화급 아이템쯤이 되어야 하는 건 사실이지만……. 그렇다고 전설급 아이템의 가치가 어디 가는 게 아니다.

"아, 그러고 보니 전설급도 잔뜩 있었잖아?"

나는 인벤토리를 정리했다.

이번에 드랍된 전설 아이템은 무려 7개! 거기에 초월병기 제로섬의 힘으로 10개가 더해져 17개나 된다.

그림자 불꽃(15레벨), 대천사의 키스(16레벨), 공허의 검(18레벨), 네크로노미콘(19레벨) 등등.

'그야말로 대중없군. 블레이드&매직 상점에서 전설 아이템을 대충 가져온 느낌이야.'

대체로 주무기들이었기에 당장 쓰기에는 애매하다.

이제 와서 쌍검을 쓰거나 한 손에 마법사 지팡이를 들기도 애매한 상황이 아닌가?

그러나 단 하나, 내 시선을 잡아끄는 아이템이 있었다.

시공의 모래시계(19레벨)
마나 계수 +1.0
주문 가속 +1.5
[고립(에픽)]

특성을 검색해 보지 않아도 알 정도로 유명한 녀석이다. 전설급 아이템임에도 에픽급 특성을 가진 아이템.

'이건 좀 쓸 만할지도?'

다만 문제가 있다.

"이건 액세서리도 아니고 무기도 방어구도 아니고……."

리벤지의 장착 아이템은 검, 지팡이, 활 등의 주무기. 모자, 상의, 하의, 장갑, 신발의 방어구. 그리고 귀걸이,

목걸이, 반지, 팔찌의 액세서리로 분류된다.

게임에서와 달리 반지를 열 손가락에 다 낀다거나 할 수도 있지만, 아이템 효과는 시스템이 인정하는 2개까지만 발동했다.

나는 인벤토리에서 전설급 아이템들을 모조리 꺼내 착용하며 실험을 해 보았고, 그 결과 새로운 사실을 알았다.

"블레이드&매직의 아이템은 부위 상관없이 6개까지만 인정인가."

다만 리벤지의 장비를 먼저 착용하면 같은 부위 장비는 아이템 효과가 적용되지 않았고, 심지어 착용 위치가 불분명한 장비 몇 개는 어떤 방식으로도 장착이 안 되었다.

여러 게임의 아이템을 쓸 수는 있어도 내 근본 게임은 리벤지였기에 벌어지는 현상이다.

'그래도…… 아예 못 쓰는 건 아니다.'

나는 착용 자체가 불가능한 시공의 모래시계를 들어 마나를 주입했다.

띵--!

2.5초간 몸이 멈췄다 돌아온다. 고립(에픽). 게임에서 흔히 사용되는 무적+지정 불가 상태.

나 스스로도 남을 공격할 수 없는 대신 나 역시도 모든 공격을 무시하는 능력이다.

"인벤토리에 잘 정리해 뒀다가 필요로 할 때 꺼내 쓰면 되겠네. 뭐…… 정말 쓸모가 있겠냐 하는 문제가 있긴 하지만."

애초에 극의지체의 초월자인 난, 무려 천마신공의 오의를 얻어맞아도 피륙에 상처 좀 나고 마는 극강의 생명력을 지닌 존재다. 맨몸으로 블랙홀에 뛰어들어도 견딜 수 있는 내게 이런 생존 아이템은 신기한 물건일 뿐 막상 사용처는 그리 많지 않을 것이다.

"그나저나 원점으로 돌아와서."

나는 늘어놓았던 아이템들을 다 정리한 뒤 고민에 빠졌다.

'결국, 마검왕 이놈 드랍 테이블이 어떻게 되는 거지?'

외견상 마검왕이 들고 있는 아이템은 히페리온뿐이다. 흑의 무복을 입고 있기는 하지만 그걸 신화급 아이템으로 보기는 어렵다.

'그렇다고 완전 랜덤이라고 보기에는 처음엔 히페리온이 나왔단 말이지. 뭐 유니크 아이템 뭐 그런 개념인가?'

그러나 잘 생각해 보면 그것도 말이 안 된다.

드랍 아이템을 손에 넣고 있는 것이 우주에 나 하나뿐인 게 아니다.

여신의 가호, 금빛 물결, 행운 스텟, 제로섬으로 인한 압도적인 파밍 능력으로 내가 많이 얻고 있을 뿐, 몬스터산(産) 아이템들은 이 순간에도 대우주에 잔뜩 풀리고 있다.

행운 그 자체를 컨트롤 하는 초월자나 기술 역시 대우

주에는 종종 존재한다는 걸 생각해 보면 우주 어딘가에는 히페리온을 가진 존재도 있을 텐데.

"아…… 모르겠네. 관련 정보는 인터넷에도 없고."

결국 몬스터를 더 잡으면서 확인해 보는 방법뿐.

그리고 다행히, 루테 행성에는 아직 신화급 몬스터가 하나 남았다.

"로그아웃."

루테 행성으로 돌아온다. 하늘을 가로지르는 카심의 등 위에서 나는 전투를 벌이고 있는 두 존재를 보았다.

[사랑과 소망을 받아! 빛나라! 저스티스 소드!]

명랑한 외침과 함께 무지개색으로 빛나는 검이 소환된다.

-그의 시선 앞에서는 그 누구도 자유로울 수 없어! 굳건한 의지! 신념! 그 모든 게 무용하지!

"아, 내레이션 또 시작이구만. 일정 거리 안으로 들어가면 강제로 듣는 건가."

나는 마치 어린아이 완구처럼 과하게 화려한 디자인을 가진 성급 기가스, 수호성좌 파워 포스를 보았다.

거대한 힘이 깃들었던 녀석의 저스티스 소드는 휘둘러지지도 못한 채 스러졌다. 아무래도 아까 내가 그러했듯 어떤 정신 공격을 당한 모양.

그러나 그게 무방비하게 당했다는 뜻은 아니다.

두두두…….

콰과광!

저스티스 소드를 든 오른팔은 마비되었지만, 양자포를 장착한 왼팔은 멀쩡히 움직여 딥 아이를 공격했다. 마비 후 공격하려 힘을 모으던 거대한 눈알이 쏟아지는 공격에 그만 눈을 감아 버리자 공격이 취소된다.

'저게 그 소문의 수호성좌인가.'

루테 행성은 평화로운 곳이라 자체적인 병력이 많지 않지만 그렇다고 약해 빠진 행성은 아니다.

유려한 자연 환경과 사랑스러운 외향의 원주민들로 이루어진 사회와 문화 덕분에 루테 행성은 우주에서도 이름 높은 관광지.

충분히 돈이 많은 곳이니 성급 기가스를 운용하고 있으며, 자체적으로 운영하는 전함도 상당수였다.

-절망하고 절망하라! 그의 시선이 닿는 모든 세상에…….

[아, 망할 놈이 진짜!]

딥 아이를 향해 추가타를 먹이려 하던 파워포스가 거대한 배리어를 만들어 사방으로 뿜어지는 광선을 막아 낸다.

성급 기가스. 거기에 기간트 마스터급 조종사를 보유한 파워포스는 어지간한 초월자는 충분히 압도할 만한 전투력을 가지고 있었지만, 일반인의 피해를 줄이려다 보니 제대로 싸울 수가 없다.

그러니까, 지금까지는 그랬다는 말이다.

쿵!

카심의 등을 박차고 뛰어오른다.

"후."

한 번의 호흡으로 진기가 충만하게 차오른다.

대기(大氣)에서 뽑어진 끝도 없는 내공이 해일처럼 온몸을 휘돈다.

'대기만성을 다 정립하는 데 얼마나 걸릴지 감이 안 오는군.'

8개 속성의 차크라, 착점에 붙어 있는 외부 요소, 대기를 품은 극의지체의 생체력, 절대 고수의 깨달음, 천문을 열어 아트만의 경지에 이른 요소 무공.

로그인 로그아웃, 스킬과 특성, 온갖 아이템까지……

내가 가진 능력은 너무나 많다.

능력이 부족한 것보다야 낫겠지만 지나친 것 역시 독(毒).

'연계되는 능력도 너무 많지.'

무공의 천문(天門)이 열리면서 힘들게 만들고 있던 무공의 체계는 완전히 무너져 버렸다.

새로운 능력, 새로운 깨달음, 새로운 영감과 새로운 환경이 마련되었으니 당연히 무공 역시 새로이 만들어져야 한다.

지금 할 수 있는 것은 구식 무공 체계를 단발식으로 활용하는 정도니, 이걸로는 절대 최상(最上)의 결과를 낼 수 없겠지.

"대기만성……."

그러나 그 단발식 활용조차.

—아광(亞光).

—광섬(光閃).

과거와 비교조차 할 수 없다.

푸확—!

[뭣!? 아니, 지금 속도가…… 이게 맞아?]

[광속! 아니 지금 광속으로…….]

[아니 속성화를 한 것도 아니고 맨몸으로 이게 말이 돼?]

파워포스에게서 네다섯 개의 목소리가 동시에 터져 나온다. 파워포스의 파일럿이 다중인격이기 때문은 당연히 아니다.

수호 성좌 파워포스는 '기간트 마스터 다섯'이 조종하는 특이한 종류의 성급 기가스이기에 벌어지는 일이다.

쩍.

경악성과 동시에 딥 아이의 몸이 반절로 갈라진다.

공격 능력에 치중된 데다 파워포스와 대적하고 있던 녀석으로서는 광속의 공격에 대처하는 것이 불가능.

물론 신화급 몬스터인 만큼 살벌한 내구력을 가지고 있었지만.

'어림도 없지.'

잊기 쉽지만 히페리온에는 물리 계수 6.2와 마나 계수 7.3이 걸려 있고, 그것은 신검합일의 효과로 각각 12.4에 14.6으로 올라간다.

이런 미친 수준의 데미지는 기술과 권능으로 막아야지 단순 피통으로 버티려면 큰코다치기 마련이다.

쩌억!

딥 아이의 거대한 동공이 갈라지며 수정체가 무너져 내린다. 잔뜩 충혈된 눈동자가 흉물스러운 내부를 드러내며 부들부들 떨기 시작한다.

-저주받아라! 저주받아라! 저주받아라! 저주받아라! 저주받아라! 저주받아라!

번쩍!

딥 아이로부터 빨주노초파남보 칠색의 빛덩이가 튀어나온다. 그리고 그 빛덩이 사이에서 딥 아이의 몸이 당장이라도 폭발할 듯 박동하기 시작한다.

[으앗! 피해!]

전해지는 살벌한 기세에 파워포스가 황급히 뒤로 물러선다.

나는 오히려 달려들었다.

'여기서 끝장낸다.'

발악 패턴이 터진 모양인데 그까짓 거 몸으로 받아 내면 그만이다.

나는 극의지체의 생체 능력자.

검강을 정면으로 얻어맞아도 피륙에 상처 조금 나고 마는--.

우웅---!

그러나 순간 칠색의 빛이 내 몸을 때리고.

"……어?"

-YOU DIE.

영문을 모를 텍스트와 함께.

의식이 끊긴다.

* * *

"아, 뭐야. 쟤 깡패야? 경찰을 부르면 되지 왜 거기서 싸우고 지랄이야?"

"아쉽지만 이 성적으로는 경찰대학교에 갈 수가 없어."

"사관학교로 편입? 미안하지만 그곳은 자네 같은 반골을 받지 않는다네."

“기감(氣感)이 너무 떨어지는데. 이 수치로는 어떤 영능도 입문자의 경지를 넘지 못할 거다. 어릴 적부터 알았을 텐데 공부도 안 하고 기술도 안 배웠어?”

“아, 죄송해요. 이런 성적으로는 좀.”

“어따 대고 인상을 써? 너 이 새끼 양아치야?”

내가 태어난 세상은 낙원이라 불리는 곳이었다. 세상은 평화롭고, 내 것을 빼앗으려는 적은 어디에도 없다.

그러나 그럼에도 나는 방황했다. 평화로운 나날은 내게 고통이었다.

나는 아무것도 아니다.

누구도 날 사랑하지 않는다.

나는 누구에게도 영향을 끼치지 못하고,

내가 지금 당장 죽는다고 해도 그 누구도 아쉬워하지 않는다.

난.

나는.

나는……

[선구자의 가면(유물)이 파괴됩니다!]

눈을 뜬다. 그 강인하던 육신이 말을 듣지 않는다. 힘겹게 들어 올린 눈꺼풀이 파르르 떨릴 정도의 빈사 상태.

주변 상황을 파악할 기운조차 없는 상황에서, 나는 쏟아지는 잠을 간신히 털어 내고 입을 열었다.

"로그…… 인……."

팟!

아르데니아로 넘어간다. 나는 뭘 할 힘도 없어 집무실 의자에서 그대로 잠이 들었다 깼다를 반복했다.

"폐하. 괜찮으십니까?"

다시 정신을 차렸을 때, 푹신한 침대에 누워 있는 날 플라워가 내려다보고 있었다.

"아…… 괜찮아."

그냥 하는 말이 아니라 육체에는 아무런 문제가 없다. 한참 잤기 때문인지 어느 정도 힘도 돌아온 상태.

그러나 머리가 깨질 듯 아프고 굳강한 멘탈에도 금이 가 있는 상태다.

"아, 미친 이런 젠장."

"폐하?"

"아니, 너한테 한 말 아니야. 그냥, 하. 뭐 이런."

어이가 없어서 헛웃음이 절로 나왔다.

"즉사 패턴이라고?"

불합리하다.

생체력 수련자는 끈질긴 생명력의 대명사고 극의지체를 완성해 초월지경에 이르게 되면 가히 불사신이나 다름없는 존재다. 그런데 그런 존재가 공격 한 번에 맥없이 죽는다니?

아니, 그딴 패턴이 있으면 탱커 왜 하나? 딜러나 탱커나 똑같이 한방에 죽는데 형평성에 맞지 않는다! 이게 말이 되나!?

'말이…… 되지.'

그래. 사실 말이 된다.

'그게 즉사 패턴이지…….'

천천히 흥분을 가라앉힌다. 그래. 생각해 보면 우주의 강자로 이름 높은 크로매틱 드래곤인 F · D조차 즉사 마법에 어이없게 죽은 적이 있다.

"일단, 후우……."

몰려오는 탈력감에 심호흡하자 플라워가 나를 안아 눕혔다.

"업무는 제 선에서 처리하겠습니다. 식사하실 수 있겠어요?"

그녀의 말에 잠시 인상을 찡그렸다. 선구자의 가면의 스트레스 증가 효과 때문인지 입맛이 없다. 하지만 몸 상태 회복을 위해서라도 음식은 먹는 게 좋겠지.

"가져다줘."

"네, 폐하."

나는 플라워가 가져다준 식사를 마치고 그대로 잠들었다.

그렇게 하루, 이틀, 사흘, 나흘.

나는 아예 길게 쉬게 되었다. 생각보다 부활 후유증이

만만치 않다. 어느 정도 회복한 몸과 달리 정신과 영혼에 어마어마한 타격이 남아 있는 상황.

나는 일주일 동안 침대에 누워만 있다가 그 후로는 플라워와 함께 여기저기 놀러 다녔다. 정신에 남은 [스트레스] 수치를 해소해야 했다.

"폐하! 이번에 새로 개발된 막대기 빵이 그렇게 맛있다고 합니다! 공연을 보면서 좀 먹는 게 어떨까요?"

"뭐, 좋지. 좀 가져다주겠니?"

"네!"

신나서 뛰어가는 지성의 모습이 문득 신기해 중얼거린다.

"생각보다 좋아하는군."

내 말에 플라워가 웃었다.

"폐하와의 첫 여행이니까요. 폐가 안 된다면…… 종종 이런 시간이 있었으면 합니다."

"……."

플라워로서는 드문 개인적인 요청에 잠시 생각한다.

그러고 보면 나는 농담으로라도 좋은 아버지가 아니다. 아들인 지성과 개인적인 시간을 보내는 경우도 거의 없고 크게 관심을 기울이지도 않았다.

어찌 생각하면 우스운 일이다.

내 몸과 마음이 아프고 나서야 가족과 시간을 함께하게 되다니.

"……그래. 종종 이런 시간을 가지는 것도 좋겠지."

"아."

"음?"

신음 소리에 고개를 돌리자 플라워가 꽃처럼 활짝 웃는다.

"네, 폐하."

그 후로 난 매일매일 플라워와 지성을 데리고 놀러 다녔다.

"로즈리안 누님이 쓴 작품을 기반으로 만든 뮤지컬입니다. 지금 제국 전체에 인기지요!"

온갖 종류의 뮤지컬과 콘서트를 보러 다녔다.

"와. 이게 진짜 바다라는 거군요."

카심을 타고 하늘을 날아다니기도, 먼 바다에 방문하기도.

"특이한 강화 무기가 많습니다!"

정체를 숨기고 야시장에 가기도 했다.

그렇게 일주일을 더 보내고 나자 부활로 인한 타격에서 어느 정도 벗어날 수 있었다.

'보름도 넘게 쉬었네.'

물론 마냥 놀기만 한 것은 아니어서 여유가 생긴 후에는 내 무공에 대해 정리했다.

쿠르르…….

명상에 잠기면 거대한 바다의 모습이 그려진다.

내면세계와는 다른 심상에 새겨진 이미지.

'잘 쓰고 있기는 한데…… 아직 잘 모르겠어.'

만약 내가 [내공]의 차크라로 천문을 열었다면 그 효과가 조금 더 직관적이었을 것이다. 문자 그대로 무한정에 가까운 내공을 휘두를 수 있었겠지.

천문에 도달해 완성된 소우주는 그만한 힘이 있고, 실제로 사례도 몇 있다. 무공과 차크라는 궁합이 비교적 잘 맞는 편이었으니까.

그러나 무공이라는…… 이능의 카테고리 하나를 통째로 요소로 박는 경우는 사례도 드물고 그걸로 초월자에 도달한 경우는 더더욱 없다.

농담이 아니라 우주 유일일지도 모르는 상황이니 나 스스로 길을 개척해야 한다.

"대기만성의 대종사가 되기는 텄군."

나는 대기(大器)라는 [생체기관]을 가지고 무공이라는 [소우주]를 연 차크라 마스터가 되었다. 이런 내가 사용할 무공은 특수성과 고유성이 너무 강해서 남에게 가르치는 것이 불가능하다.

말 그대로 나 혼자 쓸 무학을 정리하는 게 전부겠지.

꾸르륵.

바다와 같이 드넓은 대기(大器) 속에서 물고기들이 헤엄친다.

나는 그중 떼 지어 몰려다니는 멸치를 보았다.

'이건…… 쾌진공이군.'

한 마리, 한 마리는 작고 보잘것없지만, 무리 지어 떼를 이루면 모든 걸 압도할 크기를 가진다.

현대 사공(邪功)의 정점.

무학에 대한 이해가 모자라도 손쉽게 이류 무사에 도달할 수 있게 만드는 최신 무학.

촤악!

청새치 한 마리가 물살을 헤치고 지나간다. 한때 즐겨 사용했던 찰나결(刹那訣)이다.

꾸르르…….

거대한 덩치의 바다거북이 느릿느릿 물살을 타고 흘러간다.

신공철학(神功哲學), 역근세수경(易筋洗隨經).

'신기하군.'

세상의 그 어떤 인간도 이런 식의 단전을 지니지 못할 것이다. 이건 대기(大器)의 존재만으론 설명할 수 없는 현상.

'대기가 차크라와 완전히 연결됐었다.'

그 증거로 물속을 헤엄쳐 다니는 것은 무공들만이 아니다.

바다 한가운데 기둥처럼 서 있는 바위섬은 요소, 신체(身體).

내공의 바다에 몰아치며 잔물결을 만들어 내는 칼바람은 요소, 일격(一擊).

갈매기처럼 날아다니는 날치는 요소, 가속(加速).

그뿐이 아니다.

쩌저적!

바닷속에 인간의 모습을 한 여인이 걸어간다. 그것은 우상화점의 스페셜 보스 얼음 여왕.

'물고기가 될 줄 알았는데 그냥 스페셜 보스 모습인가. 하긴 이미 명확한 이미지가 있는 녀석들은 새로 만들어질 이유가 없지.'

바닷속에는 내가 차지한 화점에서 비롯한 8개의 속성 또한 거닐고 있다. 바다의 모습을 하고 있지만 모든 것은 내공의 심상일 뿐이니 그들이 머무는 데에는 아무런 문제가 없다.

"후."

심상을 어느 정도 안정시킬 때 즈음 부활의 후유증이 가라앉았다. 사실 일주일 전부터 문제없이 싸울 수 있었지만 만약을 대비해 더 푹 쉬어 두었던 것.

나는 식사를 든든히 하고 황실 전용 사제들에게 힐링 샤워를 받은 뒤 집무실로 돌아왔다.

그리고 그대로.

"로그아웃."

루테 행성으로 돌아간다.

[아니, 제길! 이게 말이 돼? 그렇게 화려하게 등장해서 이렇게 허망하게 죽어 버린다고?]

저 멀리서 파워포스의 한탄 소리가 들린다.
'다행히 부활은 바로 된 거였나 보네.'
체감 시간이 상당히 길어 걱정했는데 다행히 별문제 없는 모양.

―죽어라! 죽어라! 죽어라! 죽어라! 죽어라! 죽어라! 죽어라! 죽어라! 죽어라!

하늘에서는 빈사에 가까운 상태의 딥 아이가 칠색의 빛을 뿌려 대고 있다.
'끝낸다.'
나는 그대로 대지를, 고정된 차원을 박차 솟구쳤다.
파워포스가 비명을 지른다.
[살아났어!?]
[아니, 분명히 죽었어! 내가 봤는데!?]
그러거나 말거나 딥 아이를 덮친다.
모든 면을 뒤덮는 칠색의 빛은 회피할 수 없었지만 상관없다.
마침 얻은 아이템이 있기 때문이다.
띵―!
시공의 모래시계가 작동하고 시공이 동결된다. 나는 정지된 시간 속에서 칠색의 기운이 내게 와닿지 못하고 스러지는 걸 보았다.

나는 조건부 무적의 힘으로 즉사기를 넘어섰다.
"죽어."
그리고 그렇게 딥 아이에게 도착하는 순간.

-YOU DIE.

*　*　*

멍한 표정으로 목 매단 사내를 본다…….
울고 있는 어머니의 모습을 보았다.
이하 생략이라고밖에 말할 가치가 없는 광경.

[선구자의 가면이 파괴되었습니다.]

"로그…… 인."
아르데니아로 넘어간다.
꼬박 이틀을 내리 잔 후 너무 열 받아서 소리를 질렀다.
"이야기 구조상! 어? 여기서는 당연히 시공의 모래시계가 먹혀야 하는 거 아니냐? 아니, 어떻게 그걸 씹고 들어와?"
게임 전개라면 아이템 획득 구조상. 소설이라면 복선의 일종으로 당연한 흐름이었다. 아니 거기서 얻은 시공의 모래시계를 쓰고 죽다니!

이게 말이 되나!?

"말이…… 되지."

그래. 내가 마검왕을 죽여 시공의 모래시계를 얻은 것은 딥 아이와는 아무 상관없는 일이기는 했다.

말하자면 독립 변수.

바로 직전에 시공의 모래시계를 얻었다고 그게 먹힐 것으로 생각하는 게 오히려 안이한 생각이다.

'그나저나 전투 직감도 소용이 없네.'

내가 미래를 볼 수 있는 건 사실이지만 그건 아주 직전의 순간, 그것도 찰나지간을 볼 수 있는 것에 불과하다.

내가 공격을 맞는 것을 볼 수 있을 뿐 그 결과 죽는지 사는지를 알기는 어렵다. 맞는다고 바로 머리가 쪼개지는 것도 아니니 더더욱 그렇고.

뭐, 어쨌든 전투 결과 나는 또 일주일을 앓아누웠고.

"폐하! 하모니 누나가 10주년 콘서트를 한다고 합니다! 보러 가실 거죠?"

다시 또 일주일 동안 가족과 여행을 다녔다.

"행정학 개론이 훌륭한 지침서인 것은 사실이지만 인류제국의 현실과 안 맞는 부분도 많습니다."

식사를 함께하고 길게 이야기를 나눴다.

대기(大器)라는 사기적인 생체기관을 타고났지만, 지성은 전투보다는 행정과 정치에 더 관심이 많았다.

녀석은 음악 듣는 것을 좋아했고 근육 형성에 도움이

되는 고기보다 밀가루로 만든 빵이나 달콤한 디저트를 더 좋아했다.

"……해서 플레이어들의 클래스나 컬렉션 등록 수준을 세금에 반영하여야 한다고 봅니다."

"그렇군…… 관련 정책을 생각해 보지."

망할 놈의 즉사 패턴 덕에 오랜만에 한가한 시간을 보냈다. 기본적으로 워커홀릭에 시간이 남아도 주로 수련을 하는 내게는 드문 일.

원래는 이런 시간에 대체로 수련을 했지만…… 지금은 그것도 힘들다. 스트레스 수치가 높을 때 수련을 하면 정신이 버티지 못하기 때문이다.

그리고 그렇게 또 한 달.

완전히 회복한 난 집무실에서 도시를 내려다보았다.

'나쁘지 않은 시간이긴 했지만…….'

그렇다 하더라도 이 이상 죽을 수는 없다.

선구자의 가면도 이제 하나밖에 남지 않은 상황이다.

"좋아. 가자."

집무실 책상에 몇몇 아이템들을 늘어놓은 뒤 의자에 앉아.

"로그아웃."

루테 행성으로 돌아간다.

바로 기막히다는 목소리가 들린다.

[아니, 미친. 아예 공략을 안 보고 온 거야? 그게 아니

더라도 신화급 몬스터랑 싸우면서 심상치 않으면 일단 빠져야지 그냥 들이대다니…….]

[야, 저거 봐.]

[또 살아났어.]

[아니 이게 말이 돼? 불사신이야?]

기막혀 하는 파워포스를 보며 생각한다.

'그래. 기믹(gimmick)이군.'

게임에서 기믹이란 특정 요소. 그러니까 몬스터, 함정, 퍼즐 등의 동작 패턴과 진행 메커니즘을 뜻한다.

그리고 이 기믹이란 건 몬스터와의 전투에서 '단순 스펙으로는 승리할 수 없는' 방식으로 작동하는 경우가 많다.

우르르 몰려가 몬스터와 싸우는 것이 아니라 죽어 가며 몬스터에 대해 학습하며 '공략'을 하게 만드는 식.

나는 시공의 모래시계로 딥 아이의 패턴을 피했지만 소용없었다. 짐작하건대, 딥 아이의 발악은 기믹이 수행되지 않는 이상 즉사 패턴이 반복되는 방식이기 때문이리라.

쾅!

땅을 박차고 날아오른다.

[아니, 또 그냥 들어가!?]

파워포스가 비명 지르거나 말거나.

나는 사방으로 쏘아지고 있는 칠색의 기운 중 적색을 향해 뛰어들었다. 적색이 내 몸에 와서 터지자 내 머리

위로 붉은색 아이콘이 생겨난다.

'그래. 일곱 색이 순서를 지키지 않고 중구난방 쏘아지는 것 자체가 힌트다. 순서가 틀리거나, 실수로라도 다른 색에 닿으면 패턴이 발동된다 이거군.'

주황색 빛덩이에 뛰어든다. 다시 점프. 허공. 정확히는 차원을 박차고 노, 초, 파, 남, 보라색의 빛을 삽시간에 통과했다.

-저주스러운 돌파!

날카로운 내레이션과 함께 즉사 패턴이 종료되고.

찍.

딥 아이가 가로로 쪼개진다.

촤라랑!

10개 정도의 아이템이 모습을 드러낸다. 5개의 전설과 5개의 영웅 아이템.

그리고 거기에서.

웅!

초월병기 제로섬이 빛난다.

[저장된 드랍 조정량이 감소합니다.]

[전설 301 → 291]

"아, 꽝이군."

전설은 우르르 들어왔지만 신화는 들어오지 않았다는 사실에 안타까워할 때였다.

[어! 너 뭐야!]

"음?"

느닷없는 고함에 의아해 하고 있을 때, 내 옆으로 쿵. 하고 수호성좌 파워포스가 내려선다.

녀석이 소리쳤다.

[아니, 왜 아무 말도 없이 아이템 다 쓸어 가?]

녀석의 말에 뭔가 신선하다는 느낌까지 받았다.

'그러고 보니 드랍 템 시시비비는 처음이네.'

대비를 그렇게 하고 막상 경험은 다른 문명에 와서 하게 될 줄은 몰랐지만, 돌아보면 이쪽이 오히려 정상이다.

이 상황을 걱정했기에 굳이 몰래몰래 사람들 눈에 안 보이는 그림자 까치 샤샤샤를 소환하곤 했던 것 아닌가?

'하기야 지금까지 문제 안 된 게 오히려 신기하지.'

물론 이유야 여러 가지 있다. 첫째로 대개의 경우 내 기여도가 압도적으로 높았고, 둘째로 몬스터의 드랍 아이템의 가치가 그리 크지 못했다.

'다른 사람들한테는 성능이 반 가까이 깎이는 경우가 태반이니까.'

그 태생이 게임인 드랍 아이템은 그 성능의 태반이 '게임적 요소'에 기반한다.

공격력, 방어력, 물리 공격력, 마법 공격력.

근력, 민첩, 체력, 지능, 지혜.

경험치, 매력, 명중률, 회피, 크리티컬.

'하긴, 나조차 모든 게임 요소를 적용받지 못하지.'

명중을 아무리 높여도 빗나갈 공격은 빗나가고 치명타 확률을 아무리 높여도 팔다리에 맞추면 평타.

게임의 [세계관]이자 [캐릭터]라는 내 정체를 생각해 보면, 보통 사람들에게 아이템의 효과를 온전히 누리는 게 거의 불가능한 일이라는 사실을 알 수 있다.

아르데니아 사람들도 [클래스]를 얻기 전에는 아이템이 무용지물이 아니던가?

상황이 이러하니 아이템들의 가치는 생각만큼 높지 않다.

'물론 그래도 역시나 마법 아이템의 영역이지만……. 내가 활동하던 곳은 마법 물품이 넘쳐 나는 34지구란 말이야.'

흔하디흔한 마법 아이템을 얻자고 초월자와 드잡이질을 할 정도로 궁한 세상이 아니었다.

[야, 이 멍청아 왜 대뜸 시비를 걸고 지랄이야!? 우릴 도와주신 분이잖아!]

[이야, 우리 불쟁이 깡도 좋다. 초월자한테 시비도 걸고.]

[아니, 그래도 기여도라는 게 있잖아! 하다못해 확인이라도 하고 가져가야지!]

[진정해, 파이어. 저분이 안 왔으면 지금보다 훨씬 많은 피해가 있었을 거다.]

[아니, 그냥 도우러 온 거면 몰라도 국가 예산급 의뢰비를 지불했잖아!]

파워포스 안에서 파일럿들끼리 다투는 소리가 들린다.

나는 인벤토리에서 아이템들을 꺼냈다.

"뭐, 됐습니다. 버릇처럼 챙겼는데 일리가 전혀 없는 말도 아니군요."

좌르륵.

쏟아지는 아이템의 모습에 파워포스가 깜짝 놀란다.

[아니, 뭐야 왜 이리 많아? 언뜻 봤을 때 많아서 다 잡템인가 했는데…… 죄다 고위 아이템이잖아?]

[아니…… 전설 아이템이 대체 몇 개야? 여태까지 여덟 개밖에 드랍 안 된 전설 아이템이 이 한 마리에서 15개나 떨어진다고?]

[아니, 무슨 영웅보다 전설이 더 많이 떨어져?]

수군거리는 파워포스를 향해 말한다.

"늦은 소개지만…… 저는 위대하고 위대하신 게임 마스터님의 사도 한재연입니다."

내 말에 파워포스가 잠시 조용해졌다가, 다시 엄청나게 소란스러워진다.

[사제도 아니고 사도!?]

[사도가 용병을 뛴다고? 아니 그보다 초월자였지?]

[설마 그 부활도 관련 권능인가? 게임 캐릭터가 리젠되듯…….]

[아니, 말이 안 되잖아. 아무리 최상급 신의 사도라도 완전 사기 아냐?]

[말이 되고 안 되고를 떠나서 실제로 살아났잖아.]

[게다가 대우주에 별의별 케이스가 다 있어. 의지가 꺾이지 않으면 죽지 않는다는 무시무시한 창잽이 이야기도 있는데.]

또 자기들끼리 숙덕거리기 시작한다.

'와, 이것들 조잘조잘 엄청 시끄럽네.'

결국 나는 그들의 말을 끊을 수밖에 없었다.

"어쨌든 중요한 건, 저에게 드랍률을 조정하는 권능이 있다는 겁니다. 원래 드랍 확률이라면 이것보다 훨씬 적은 아이템이 떨어졌겠죠."

[아, 드랍률. 진짜 게임신하고 어울리는 권능이긴 하다.]

[그러고 보니 그런 능력들이 있다고 들었어. 운명 마탑에서도 몇 번 성공했다고 했지.]

[하긴. 우리가 잡았을 때랑 아이템 숫자 자체가 차원이 다르니…….]

또 수군거리기 시작한다. 조종사가 다섯이나 되다 보니 한 마디씩만 말을 더해도 어수선해지는 분위기.

그런데 그때였다.

푸슉!

느닷없이 파워포스의 가슴팍이 열리더니 자그마한 뭔가가 내 앞으로 뛰어내린다.

"……다람쥐?"

그렇다. 그것은 다람쥐였다. 내 손바닥보다 조금 큰 다람쥐가 내 앞에 꼿꼿하게 서더니 정중하게 꾸벅하고 고개를 숙였다.

"파이어라고 해. 아니, 파이어라고 합니다. 조금 전에는 따지듯이 말해서 죄송해요. 차분하게 논의하려고 했는데 대뜸 챙겨 가 버리셔서……."

"아, 음. 아뇨. 저도 너무 함부로 하긴 했죠."

아이템 분배에 대해 어떻게 할지 고민하고 있는데 대뜸 다 가져가는 모습을 보였으니 당황할 만하다.

"아이템의 소유권은 모두 양보하겠습니다. 애초에 딜을 거의 혼자 넣기도 하셨고요. 단지 폐가 안 된다면…… 그중 하나만 제가 골라 가져가도 괜찮을까요?"

아까와 달리 정중한 태도.

나는 성급히 대답하는 대신 아이템들을 살폈다.

"아."

그리고 곧 상황을 파악할 수 있었다.

* * *

우리는 임무가 끝난 뒤 루테 행성의 통합 정부가 마련

한 연회에 참여했다. 다음 열차 시간까지 남은 시간은 8시간. 잠을 자기에는 애매해도 식사를 하며 쉬기에는 충분한 시간이다.

"감사합니다, 영웅님들!"

"그냥 일이었지, 뭐."

"도와주셔서 감사합니다!"

"으으…… 이것들 너무 귀여워……."

어르신들은 루테인들의 대접을 받으며 헤실헤실 풀어져 있다. 귀여운 강아지와 고양이, 여우와 양들의 대접과 맛있는 음식이 함께하는 연회는 동물에 관심 없는 나조차 제법 즐겁게 만들었다.

그리고 그렇게 식사를 즐기고 있을 때, 작은 동물들 사이에서도 특히나 작은 녀석들이 내게 다가온다.

"안녕하십니까, 한재연 님."

"다시 봐서 반가워요, 파이어."

그들은 다람쥐다. 파이어뿐 아니라 파워포스를 조종하던 다섯의 조종사 모두가 그랬는데 그럼에도 외향들은 가지각색이다.

'파이어 이 녀석이…… 말하자면 청설모인가?'

물론 평범한 청설모는 아니어서 몸에서 붉은 기운이 돈다. 녀석에게서 강렬한 화염의 정령력이 느껴진다.

도도도.

다섯 마리의 다람쥐는 인간 사이즈에 맞춰 놓은 의자

다리를 날렵하게 타고 올라 테이블 위에 올라섰다.

그리고 먼저 자리하고 있던 체다를 보고 털을 바짝 세운다.

"으앗? 아니 기척도 없이 누구야?"

"루테인이 아냐. 스마트 펫이라고 전화기 같은 존재라고 하더라고."

"아…… 다른 문명에는 이런 게 있다고 했었지."

"엄청난 미묘(美猫)……."

"어머, 별꼴이야. 넌 저런 게 취향이니?"

잠시 수군거렸지만 이내 정신을 차리고 내 앞에 늘어선다. 그리고 그들 중 대표로 줄무늬 다람쥐가 정중히 고개를 숙인다.

"전날의 무례는 정말 죄송했습니다. 파워포스의 리더, 썬더라고 합니다."

나는 손을 내저었다.

"저도 잘못이 있었죠. 충분히 설명할 수 있었는데."

아무리 기여도가 높아도 말 한 마디 없이 아이템을 챙겨 간 건 틀림없이 잘못이긴 하다.

'앞으로는 계약 조건에 미리 명시해 놔야겠어.'

지금까지야 일단 챙긴다는 느낌이었지만 초월자씩이나 되어서 계속 그럴 수는 없다. 가져가도 당당히 가져가야겠지.

"아, 저기 그런데 아까 말씀드렸던."

"네, 압니다. 이거죠?"

나는 인벤토리에서 아이템 하나를 꺼냈다.

자연스럽게 아이템 설명창이 떠오른다.

[엘릭서(Elixir).]

설명 : 여신이 직접 빚어 냈다는 만능 회복약. 꾸준히 섭취할 경우 [불로장생]한다는 전설이 있다.

1. 이것은 [여명] 등급이다. 서사급 임무를 수행하거나 역사적인 적을 해치워야 얻어 낼 수 있다.

2. 이것은 [마법의 물약]이다. 섭취하는 것으로 효과를 발휘한다.

3. 이것은 모든 [영구적 부상], [저주], [트라우마], [질병] 등의 상태 이상을 제거한다.

"아!"

"드디어……."

다람쥐들이 감격해한다. 나와 달리 다른 사람들은 아이템 설명을 확인할 수 없지만, 그럼에도 정보는 얼마든지 얻을 수 있다.

거기에는 마법도, 권능도 필요 없다. 해당 게임의 홈페이지를 확인하면 되기 때문.

썬더가 쓴웃음을 지었다.

"역시 짐작하셨군요."

"네. 드랍 된 아이템 중 간절하게 원하실 물건은 이것뿐이었으니까요."

드랍 된 전설 아이템은 15개나 되지만 일반적으로 활용될 물건은 많지 않으니 짐작이 쉬웠던 상황.

썬더가 종이 한 장을 꺼내 내게 넘겨주고는 말했다.

"황금 산양신께 신탁을 받았습니다. 그렇게나 오래 싸웠는데도 저희들의 기여도는 고작 17%뿐이더군요. 원래대로라면 전설급 아이템은 한두 개나 떨어졌을 테니 기여도로 엘릭서를 요구할 수는 없다는 대답을 들었습니다."

"그러니까 제가 살게요. 제가 이래 봬도 기간트 마스터급이거든요! 돈은 꽤 있으니……."

간절한 표정의 다람쥐.

'협상 진짜 못하네.'

어이가 없어 절로 입이 벌어진다. 악독한 놈을 만나면 그야말로 탈탈 털릴 호구들이 아닌가?

그러나 두 손을 꼭 모으는 다람쥐의 모습을 보니 밀당을 할 기분도 들지 않는다. 어쩌면 이것이 그들의 방식일지도 모르지.

"그냥 드리죠."

"네?"

"아, 아뇨. 재연 님. 아무리 그래도 그건……."

당황하는 그들을 보며 웃는다.

"대신이라고 하면 뭐하지만 자주 지명해 주시죠. 험한

시기이기도 하고…… 굳이 대가를 주시겠다면 다음에 올 때까지 쓸모없는 아이템들을 모아서 주십시오."

"쓸모없는…… 아이템?"

"그래요. 모든 아이템이 엘릭서처럼 쓸 만한 건 아니니까요."

"……."

내 말에 다람쥐들이 서로의 얼굴을 바라보았다.

그리고 동시에 꾸벅하고 고개를 숙였다.

"감사합니다."

"감사합니다!"

"착한 인간. 고맙다."

"고마워요."

"……감사."

그것을 마지막으로 루테 행성에서의 임무가 끝났다. 우리는 늦지 않게 복귀 열차에 탈 수 있었다.

"모두 수고했어!"

"이야, 솔직히 막내가 다 했네. 역시 초월자는 초월자구만."

"눈깔 놈한테 두 번 당하던데 몸은 괜찮은 거야?"

"어르신들이 잘 이끌어 주신 덕분이죠, 감사합니다."

어르신 분들의 칭찬을 들으며 좌석에 몸을 묻는다.

그리고 생각한다.

'아이템이라.'

게임 아이템들은 그 성능만큼의 가치를 가지지 못한다. 현실은 게임이 아니고 사람들도 플레이어가 아니기 때문이다.

그러나 모든 아이템이 그런 것은 아니다.

어떤 수치나 게임적 요소 없이 그 자체로 뛰어난 효과를 발휘하는 아이템.

'엘릭서가 바로 그렇고…….'

그리고 무엇보다.

나를 부활시켰던 선구자의 가면이 그러하다.

'부활.'

무시무시한 효과다. 의료 기술이 너무나 발전해 엘릭서라는 기적의 물약조차 필요 없는 34지구에서도 흉내 내지 못하는, 그야말로 비현실적인 효과.

물론 그만한 패널티가 있긴 하지만…… 그렇다 하더라도 여벌의 목숨 그 자체인 선구자의 가면의 가치는 오르면 오르지 절대 떨어지지 않으리라.

'드랍 몬스터가…… 쉠곤이었지? 덩어리 자식. 다 죽었다.'

나왔다는 이야기만 돌아도 달려 나갈 것이다.

그렇게 생각하며 34지구로 귀환, 용병관리청에 들러 임무 결과를 보고한다.

이후 드래곤 스타로 돌아오자, 문 앞에서 기다리던 F · D멤버들이 나를 반겼다.

"어서와 재연아!"

"으앙! 보고 싶었어!"

"다친 곳은 없죠?"

나는 달려드는 그녀들과 온갖 이야기를 나누며 식사를 했다. 미안한 말이지만 정신이 딴 데 가서 그녀들과 이야기를 길게 나눌 수가 없었다.

"체다."

"냐옹!"

방으로 돌아와 바로 계좌를 확인한다.

**[용병관리청에서 300억 원을 입금하였습니다.]**

"크으! 시급 3억 원!"

환호성이 절로 나온다. 심지어 이건 광고처럼 일회성으로 끝나는 이벤트가 아니라 일을 할 때마다 벌 수 있는 돈이다!

심지어 가고 오는 데 걸린 60시간은 자동 사냥도 돌리고 필사도 할 수 있는 시간!

"야옹!"

체다가 울었다. 알람을 확인한다.

**[스파이크 앱 알림!]**

**네메시스 ↓**

최근 1년 중 최저가를 기록했어요(4,888,120원)

떨어지는 주식도 내 기분을 망칠 수 없다. 여전히 하락 중이지만, 그 그래프가 비교적 완만했기 때문이다.

이번에야말로 진짜 저점 매수의 타이밍.

"이렇게 된 이상 대주주까지 간다!"

나는 주식 앱을 열었다.

그리고 주주 게시판들을 둘러보았다.

[울고 넘는 대학원]

스파이크야, 오늘도 최저가인 거 알려 줘서 고맙다 ^^

내가 그만 깜빡 잊을 뻔했는데.

하트 113개. 댓글 9개.

주식 커뮤니티도 돌아본다.

글쓴이 : 개미여왕

[주식 시장의 축소에 대하여]

당신의 주식이 폭락했다고 슬퍼하지 마라. 이미 체감하고 있겠지만 이는 시장 전체의 문제이기 때문이다.

이는 신과 초월자들까지 엮여 있는 거대한 흐름.

주식 시장에 투자되어 있던 자본이 시장을 빠져나가고 있다. 이는 자본의 소멸이 아닌 이동일 뿐이지만, 결과적으로 투자자들에게는 같은 의미라 할 수 있겠지.

어떤 의미에서 총력전(總力戰)과 같다.

34지구는 평화롭지만…… 이는 대우주에서도 극히 드문 경우에 불과하다. 우주의 부분의 영역을 차지하고 있는 중위(3) 문명. 성계신의 보호를 받는 하위(1~2) 문명. 심지어 극소수에 불과한 상위(4) 문명마저도 크든 작든 전쟁을 치르고 상황이니, 서로 연결된 대우주 안에서 34지구 역시 큰 영향을 받는 것이다.

폭풍이 몰아치고 있다.

주식 시장은 잉여 자본에 휘둘릴 수밖에 없는 판이니 지금은 투자로 돈 벌 수 있는 시기가 아니다. 아주 멀리 보고 가치 투자를 하든지, 아니면 완벽한 저점매수의 타이밍. 대 바겐세일의 날을 기다리며 돈과 게럴트를 붙잡고 있는 게 답이리라.

추천 2,155. 비추천 1,688

"흠."

게시물들을 읽다가 주식들을 보았다.

나는 네메시스의 폭락을 보며 가슴 아파했지만 폭락하는 주식은 네메시스 하나가 아니다.

'물론 네메시스는 그중에서도 좀 심하게 떨어지긴 하는데.'

나는 좀 더 고민하다 결국 주식 앱을 꺼 버렸다.

"돈부터 더 모으자."

일단 돈을 쥐고 있으면 주식이 더 떨어진 다음 사든 아니면 그 돈으로 다른 걸 하든 선택할 수 있을 것이다.

"재연, 또 무공서를 보고 있어?"

"재연아, 운동하자. 운동! 오늘은 상체?"

"재연 씨, 식사하세요~!"

다섯 드래곤의 보살핌을 받으며 일을 해 나간다. 예능에 나가고 운동을 하고 소설을 필사했다. 수면과 휴식은 아르데니아에서 해결했다.

그리고.

**[콜라곰 : 현일이다. 임무가 잡혔어.]**

임무를 뛰었다.

이번 임무는 레온하르트 제국의 공작 가문. 정확히는 일음(日陰) 정가(在家)의 영역에서 이루어졌다. 전함들의 폭격에 사방으로 숨어든 신화급 몬스터를 퇴치하는 작업이었고 우리는 문제없이 그것을 수행했다.

보상은 350억.

'역시 임무가 최고야.'

그러나 임무를 끝내고 돌아와서는 다시 연예계 생활을 이어 나간다. 같은 시간 안에 벌 수 있는 돈은 우주 용병으로서 임무를 뛰는 게 제일 좋지만, 이 임무라는 게 항상 잡히는 게 아니기 때문이다.

무엇보다 나는 장기 임무를 수행할 수 없는 몸이다.

'리벤지 온라인이 서비스되지 않는 지역으로 넘어가면…… 내 계정이 잠겨 버린다.'

사냥을 돌리는 거야 문제가 안 된다. 지구에 남아 있는 지인들에게 계정을 맡기면 되는 문제가 아니던가? 그러나 언제든 게임 아이템을 꺼낼 수 있는 수십 개의 인벤토리가 묶여 버리는 건 여러모로 곤란하다.

장기 임무를 뛰면 34지구에서 활동하는 오룡이 섭섭해하는 것도 문제다.

'루비는 요즘 34지구 출신도 아니면서 용병 등록을 하겠다는 상황이지.'

연예인으로 버는 돈이 형편없이 적다면 또 모르겠지만 이 역시 짭짤한 편이니 레온하르트 제국을 중심으로 임무를 수행하는 게 최선이리라.

그리고 그런 이유에서.

예능을 한 개 늘렸다.

"자! 또 만나게 돼서 반갑습니다. 재연 씨! 요번 촬영도 잘해 봅시다!"

"잘 부탁드립니다."

새롭게 촬영을 시작한 프로의 이름은 탑 클래스(TOP CLASS).

각 영역 최고의 자리에 있는 사람들이 어디에서, 어떻

게, 무엇을 하며 사는지 꼼꼼히 지켜보는 프로그램이다.

말하자면 관찰 예능.

나태석 PD가 설명했다.

"일단 자고 일어나는 것부터 시작할게요. 초월자이시니 은폐 카메라가 뻔히 느껴지겠지만…… 없다고 생각해 주세요."

"아, 그거 안 되는데."

내 말에 태석이 꼬리를 팔락이며 웃는다.

"후후. 많이들 그러시긴 하더라고요. 카메라가 있는데 어떻게 없다고 생각하냐는……."

"아니, 그게 아니라. 제가 수면 시간이 없어서……."

"……?"

태석이 멈칫한다. 내 말을 이해 못한 분위기였기에 차분히 설명한다.

"제 일정에 수면 시간이 없습니다. 자고 일어나는 거로 시작하면 거짓말이 됩죠."

"아니, 물론 자주 자지는 않겠지만."

"수면 시간은 가끔도 없습니다."

나는 잠을 안 자요. 라고 할 수는 없다. 아르데니아에서 자고 쉬기까지 하니 그건 거짓말이 되기 때문이다.

그러나 34지구의 일정에 수면 시간이 없는 것은 사실.

내 말을 들은 태석이 황당해 한다.

"……아니 아무리 생체력 초월자라고 해도 잠을 전혀

안 잔다고요? 그런 일정이 장시간 이어지면 정신적 육체적 부담이 쌓일 텐데."

"시간이 아까워서요."

"에, 흠. 뭐 그러면 일단 찍어 보겠습니다."

일단 고개를 끄덕이고 넘어간다.

그리고 그때부터 내 모든 일정에 태석이 따라다니기 시작한다.

"안녕하십니까!"

"와! 재연 씨! 만나 뵙게 되어 영광이에요!"

"초월자를 실물로 보게 될 줄이야……."

나는 앨런 감독의 또다른 신작, [공허의 너머에서] 대본 읽기에 참가했다. 나를 보고 인사하던 배우들이 내 뒤에 있는 태석을 무심코 넘겼다가 멈칫한다.

빠짐없이 능력자인 그들은 태석이 스마트 펫이 아닌 초월종이라는 사실을 깨달은 것이다.

"아니, 나태석 PD님!?"

"지금 뭐 촬영 중이에요?"

"자자, 저는 없다고 생각하세요. 평소에 자주 보이는 스마트펫이라고 생각하시면 되잖아요."

"아니, 아닌 게 뻔히 보이는데 어떻게 그렇게 생각해요."

"나태석 PD님 요새 왜 이렇게 배우들 예능에 안 불러요! 각성하라! 각성하라!"

태석은 능숙하게 배우들과 대화를 나눴다. 이 모든 장

면들도 그의 선택에 따라 방송에 나가게 될 것이다.

"재연 님 다음 컷 가실게요~"

"제품을 들고 자세를 취해 주세요~"

CF촬영을 진행한다.

"오늘 찾아오신 게스트는 위명이 쟁쟁하신 분이죠? 20대의 나이로 삼중 초월의 경지에 이르신 한재연 님입니다!"

예능에 출연한다. 태석은 내 뒤를 따라다니며 그 모든 과정과 사이사이에 쉐도우 드래곤 어둑서니의 도움을 받는 모습까지 촬영했다.

"수고하셨습니다."

"카메라한테 말 걸지 마세요."

일정을 마치고 스타 드래곤 본사로 돌아온다.

본래대로라면 필사를 진행할 시간이지만 카메라가 보는 앞에서 그럴 수는 없는 일. 어차피 원고는 잔뜩 쌓여 있어 여유가 있던 만큼 나는 스타 드래곤에 마련되어 있는 서관에서 무공서를 읽었다. 블랙 드래곤 흑요가 내 옆에 앉아 친절하게 그것들을 알려 주었다.

"이것 봐. 이 찰나결과 광검진천경은 똑같이 쾌의 영역을 다루지만 그 기반을 이루는 심상(心想)이 전혀 다르지."

내 어깨에 턱을 괴고는 귓가에 속삭인다.

무학에 대한 그녀의 깨달음은 거의 억지로 초월경에 올

라선 나와 달리 탄탄하기 그지없어 한마디 한마디가 뼈가 되고 살이 된다.

나는 그녀의 가르침을 받으며 나의 대기. 아니, 이제는 대해(大海)가 된 단전에 무학들을 쏟아부었다.

무학에 대한 공부로 머리가 달아오르면 사파이어가 나와 이마를 마주하고 차크라를 공명시킨다. 체내 전류가 높은 이치에 따라 재정렬되며 쏟아부은 무학이 머릿속에 박혀든다.

무학에 대한 공부 이후에는 육체 단련이다.

"자자! 중력이 집중된다! 더! 더더더! 더더더!"

레드 드래곤 루비가 육체 단련을 도와준다. 그녀가 내 등에 업혀 생체력을 가동하면 믿을 수 없을 정도의 압력이 전신에 고르게 짓누른다.

그뿐이 아니다.

루비가 내 몸에 접촉하고 있으면, 내 몸이 너무나 쉽게 활성화되어 달아올랐다. 운동 효과가 극대화됨은 물론이다.

치이익--!

극의지체의 육신에서 수증기가 피어오른다. 그렇게 3시간을 내리 운동하고 나면 거의 사경을 헤맬 지경.

그러고 나면.

"자, 자리에 누우세요."

화이트 드래곤 스노우가 내 몸을 안마해 준다. 그녀의

손에서 흘러나온 정체 모를 신의 신성력이 파괴된 육신을 [올바른 방향]으로 유도한다.

이후에는?

"자자! 힘들죠? 뭣 좀 드시고 하세요!"

플라워가 식사를 차려 준다. 단순히 양만 많은 아르데니아의 음식과는 비교 자체가 불가능한 약식(藥食)과 영약(靈藥)들!

오룡의 내조는 그야말로 상상을 초월해서 하루하루 강해지는 게 피부로 느껴진다. 보통의 초월자가 운 좋게 초월지경에 올라도 그 이상 성장하는 데에 난항을 겪는 것과 차원이 다르다.

매일매일 엄청난 돈을 벌고.

심지어 성장까지 하는 충실한 나날.

**[콜라곰 : 현일이다. 임무가 잡혔어.]**

메시지를 받자마자 용병관리청으로 이동한다. 역시나 태석이 그 뒤를 따라온다.

보통의 PD라면 감히 은하철도를 따라 탈 수 없겠지만…… 나태석PD는 보통의 PD가 아닌 초월종 프라야나.

언제나처럼 어르신들과 은하철도에 탑승하고 자리를 배정받자, 따로 자리를 받는 대신 내 좌석에 따라 앉은 태석이 문득 입을 열었다.

"이건 오프 더 레코드인데…… 혹시 F · D의 약점이라도 잡았어요?"

"약점이요?"

너무 뜬금없는 소리에 의문을 표하자 태석이 멍하니 중얼거린다.

"아니, 그럴 리가 없죠. 하지만 그렇다면 대체 왜, 아니 아직도 이해가 안 되네. 이게 무슨 일이지."

"다들 좋으신 분들입니다. 친절하고."

내 말에 태석의 동그란 눈이 한층 더 동그래진다.

"친절하다고요? 그 오만한 드래곤…… 그중에서도 스페이스 스타인 F · D가?"

어리둥절해하는 모습.

나는 의아해져서 물었다.

"안 좋은 소문이라도 있습니까?"

"아니, 딱히 나쁜 짓을 하고 다니는 건 아닙니다. 지옥견. 아니 지옥룡이라 불리기는 하는데."

"……충분히 나쁜 소문입니다만."

그 착하고 아름다운 오룡에게 지옥룡이라니 이 무슨 악의적인 별명이란 말인가?

"아뇨, 뭐. 초월종인 드래곤족이 원래 그렇죠."

"아니, 나태석 PD님도 초월종 프라야나족이지 않습니까?"

황당해하며 되묻자 태석이 고개를 흔든다.

“초월종이라지만 초월자가 아니지 않습니까? 같은 초월종이라고 해도 드래곤족과 프라야나족은 상황이 완전히 달라요.”

대우주에는 노블레스라는 세력이 존재한다. 이름 그대로 귀족. 하위종과는 차원이 다른 힘을 태어나면서부터 품고 있는 초월적인 혈통을 가진 존재들로 이루어진 세력.

‘드래곤. 프라야나. 캔딜러. 그리고 저번에 본 석원족 같은 존재들이지.’

“흠. 드래곤처럼 나이를 먹는 것만으로 자연히 초월자가 되지는 못한다는 말이죠?”

생각해 보면 모든 초월종이 나이를 먹는 것만으로 자연스럽게 초월자가 되는 건 아니다. 그것은 최고의 노블레스, 드래곤의 특징.

그런데 태석이 고개를 흔든다.

“아뇨. 프라야나족도 나이를 먹는 것만으로 초월자가 되긴 합니다.”

“아, 그래요? 그럼.”

“다만, 성년이 되며 초월자가 되는 드래곤족과 달리 프라야나족은 노년에 초월자가 되죠. 그것도 죽기 얼마 전에.”

프라야나족의 별명은 [초능력 고양이]. 태어날 때부터 강대한 초능력을 가지고 태어나는 그들은 어릴 적부터 어지간한 괴물은 다 죽이고 다니는 미친 수준의 사이킥 파워를 휘두른다.

“하지만…… 초월자로 오래 사는 프라야나족도 제법 봤는데.”

가장 유명한 것이 34지구의 글로벌 식품기업 [누텔]의 대표인 [초코]이다. 나이가 600살이 넘는 프라야나 초월자.

태석이 설명했다.

“프라야나족의 기본 수명은 300년 정도예요. 그리고 수명이 다 끝나갈 때쯤…… 핏줄에 봉인되어 있던 사이킥 파워가 완전히 개방되죠. 좋든 싫든 초월자가 되는 거고…… 보통 짧으면 한 주. 길면 한 달 정도 초월자로 살다가 숨을 거두게 됩니다.”

“그럼 초코 님은요?”

“그 짧은 시간 동안 사이킥 파워를 제어해 스스로 초월지경의 경지를 수습하면 초월자로서 제2의 삶이 열리죠. 수명도 확 길어지고요. 그런 경우가 드물다는 게 문제지.”

“아.”

1,000살이 되면 성장이 끝나며 100%에 가까운 확률로 초월지경에 이르는 드래곤과는 여러모로 다른 방식. 태석이 어깨를 으쓱인다.

“아무래도 드래곤보다는 격이 떨어지는 게 사실이죠. 자식을 보기 힘든 녀석들과 다르게 우리는 수가 훨씬 많아서 그나마 비빌 만한 거지.”

[다음 역은 드래고니안령 골든 크로스 행성입니다. 다음 역에서 내리실 분들께서는 오른쪽 문을 이용하여 주시기 바랍니다.]

[다시 한번 안내해 드립니다. 1시간 4분 51초 후 골든 크로스 행성에 도착합니다.]

문득 흘러나오는 방송에 태석이 말했다.

"뭐, 어쨌든 재연 씨도 직접 보게 되겠네요."

나는 도착지를 생각하며 고개를 끄덕였다.

"아, 그러고 보니 그렇겠네요."

"네."

태석이 그 작은 머리를 끄덕인다.

"보통 드래곤의 모습을."

새로운 임무가 시작되고 있었다.

chapter4.

# 우주적 스캔들

## chapter4.
## 우주적 스캔들

연합(Union), 일종의 국제기구. 혹은 우주 연합체로 대우주 전체를 아우르는 다자 회의 기구이다. 우리 34지구는 물론이고 34지구와 끈끈한 동맹이라고 할 수 있는 레온하르트 제국 역시 가입된 대우주 최대 세력.

연합에는 수많은 종족, 수많은 문명이 가입되어 있지만 그중 기둥이라 할 만한 세력을 손꼽자면 태어날 때부터 고귀한 혈통의 모임이라 불리는 노블레스(Nobless)와 스스로 깨달은 탈각자들의 모임인 엘로힘(Elohim)이 있다.

'엘로힘의 최대 세력이 신선(神仙)이라면…… 노블레스의 최대 세력이 바로 드래곤이지.'

'최대'라고 불렀지만 절대 숫자가 많다는 소리는 아니다.

연합에 포함된 공식적인 용의 수는 18만.

'사실 형편없는 숫자다. 소수종도 이런 소수종이 없지.'

수천 조, 아니 수천 경이 넘는 연합의 지성체 중 고작 18만.

우주가 아니라 한 행성에서 가늠해도 한 줌의 한 줌도 못 되는 규모의 그들이 연합의 최대 세력이 되는 게 과연 가능할까?

가능하다.

그들이 용이라면.

"화려하군."

"여기를 지배하는 용이 누구였지?"

"어디 보자, 골드 드래곤 금준혁이네."

"……드래곤 이름이 준혁이에요?"

"용들 이름도 가지각색이지. 특히나 이번 의뢰주는 드래고니안 출신도 아니니까."

우리가 도착한 골든 크로스는 통짜 금속으로 이루어진 행성을 거주에 적합하도록 깎아 만든 공업 행성이었다. 일종의 우주공항(Starport)으로 아이언 하트가 필요한 전함보다는 수송용, 여행용 우주선을 만드는 장소.

그리고 우리가 불려 오는 곳이 대체로 그러하듯.

난장판이었다.

두두두두두---!

쿠콰쾅!

새카만 우주에 망령룡 레플리가 떠 있다. 수십 대의 기가스, 소형 전함들이 그 주위를 날아다니며 포격을 가한다.

'그래도 어떻게 거주 지역으로 접근 못 하게 하고 있군.'

몬스터 사태로 인한 피해가 커지면서 연합도 발 빠르게 대처하고 있었다.

마법과 과학, 그리고 온갖 이능과 권능의 힘으로 이미 중상위 문명들은 몬스터들의 등장 위치를 어느 정도 강제하는 기술을 만들어 냈다.

게임 마스터처럼 아예 한곳으로 유도하는 수준은 아니라도 적어도 사람들이 사는 곳 근처에 초월급 몬스터가 나타나는 상황은 방지할 수 있게 된 것이다.

하위 문명들은 문명의 수호자, 성계신이 적어도 초월급은 접근조차 못하게 막고 있다고 한다.

[바로 들어간다!]

[막내야! 일단 들이받아!]

[막내 덕에 벌써 초월급하고 몇 번을 싸워 보는 거야. 솔직히 늙은이들 50명에 특급 장비를 모조리 해금해도 하나 잡기가 힘든데.]

34지구가 마경이라고 불리는 데에는 어르신들이 상당 부분 이바지하지만 아무리 어르신들의 능력과 장비가 강력하다 해도 초월자를 가볍게 상대할 수는 없다.

비초월자만으로 초월자를 3분 컷하는 건 강대한 인프라가 깔려 있는 34지구에서나 가능한 일.

그러나 정면에서 일대일로 초월자의 모든 공격을 받아내는 사기캐, 그러니까 내가 있으면 이야기는 완전히 달라진다.

내 입장도 마찬가지여서 혼자 싸우는 것과 뒤에 어르신들을 달고 싸우는 건 전투의 난이도부터가 다르다. 최선을 다 해야 하고 어쩌면 위험할 수도 있는 전투가 극도로 안전해지는 것!

—크오오오!

망령룡 레플리의 포효에 어둠과 죽음의 기운이 퍼져 나간다. 녀석에게 일방적으로 포격을 가하던 전함들조차 손해를 입고 물러날 정도였지만 내게는 익숙한 소리일 뿐이다.

"제발."

다만 기도한다.

"신화급!"

약 3시간의 전투 끝에 임무를 끝낸다.

'아, 시바.'

결국, 신화급은 안 나왔지만 전설급을 제법 챙긴 것에 만족하기로 했다. 이제는 계약서에 드랍 아이템에 관한 조항을 추가했기에 소유권 문제도 없다.

만약 의뢰주가 관련 조항을 거부한다면?

그러면 초월병기 제로섬의 힘으로 확률을 저장하면 그만이다.

"수고하셨습니다!"

"세상에 정말 강하시군요!"

아름다운 엘프들이 환호하며 우리를 대접했다. 나는 그들이 챙겨 주는 음식을 먹으며 생각했다.

'아니, 그런데 드래고니안령이라더니 막상 드래곤은 코빼기도 안 보이네.'

골든 크로스는 하나의 문명이라기에는 작지만 그렇다 해도 무시할 규모는 절대 아니다. 거주 인구가 5억이 넘는 이곳은 우주선을 생산하기 위한 초거대 설비와 대형 공장들이 즐비한 장소.

"신기하군."

"음?"

느닷없는 목소리에 고개를 돌리자, 내 건너편 테이블에 앉아 있는 사내가 보인다.

반짝이는 금발에 아름다운 외모. 고급스러운 옷과 느긋한 표정을 가진 그의 정체를 파악하기는 그리 어렵지 않은 일이다.

"금준혁 님이시군요."

"오, 내 이름을 막 부르는가? 하기야 하위종이어도 초월자쯤 되면 그럴 만한 자격이 되지."

준혁의 눈이 반짝인다. 그가 마치 신기한 무언가를 보

듯 내 전신을 훑어보았다.

“위대한 골드 일족을 뵙습니다.”

“위대한 골드 일족을 뵈어요.”

어르신들이 준혁에게 인사한다. 준혁은 눈동자조차 돌리지 않았다.

그야말로 완전한 무시. 그러나 익숙하다는 듯 어르신들은 다시 연회를 즐기러 가 버렸다.

‘와. 오룡이하고는 분위기부터가 다른데.’

준혁에게서 우리에 대한 악의는 전혀 보이지 않는다. 심지어 나에 한해서는 호의와 호기심까지 품은 상황.

그러나 녀석의 눈을 보면 알 수 있다.

‘나를 동급으로 보질 않는데?’

심지어 내가 초월자임에도 그렇다. 지금 당장 이 자리에서 나와 녀석이 싸우면 거의 90% 확률로 내가 승리할 것이라는 사실을 나도 그도 알고 있는 상황임에도 이 차별적인 시선.

하기야 차별이 꼭 능력에 근거한 건 아니다.

인종 차별이 딱히, 힘이 약해서 재산이 적어서만 있는 게 아니다.

식당 종업원이, 말단 공무원이 단지 타고난 피부가 희다는 이유로 흑인 판검사를 인종 차별하는 사례는 34지구에서든 98지구에서든 그리 신기할 것도 없는 일이었다.

“올해로 몇 살이지.”

"이제 스물여섯이군요."

"와, 대우주를 살아가다 보면 온갖 불합리한 일을 보게 될 거라고는 생각해 왔지만…… 이건 진짜 대단하군. 그 짧은 시간에 이만한 경지를 구축한다고? 심지어 네게는 특별한 혈통도 없는 듯한데."

34지구에서 경지에 안 맞는 내 나이가 크게 논란되지 않는 건 그들이 내가 뭔가 특별한 혈통을 타고났을 거라고 생각하기 때문이다.

34지구 사람들은 그런 개념에 매우 익숙하다. 멀리 갈 것도 없이 게임 마스터 관대하의 태생부터가 문명과 정보의 신과 인간 사이에서 태어난 반인반신(半人半神)이지 않던가?

'그러나 아니지.'

그래, 특별한 혈통은 개뿔.

내가 태어난 98지구의 신혈, 황혈들은 다 자기들이 꾸며 낸 허상일 뿐이다. 마치 과거 중국의 천자(天子)이나 일본의 천황(天皇)처럼 지배논리를 공고하게 하기 위해 만든 설정.

눈에 빛을 발한 준혁이 다시 입을 열었다.

"흠. 하지만 이해가 안 되는군. 깨달음이야 어떻게 재능으로 어떻게 한다 해도 업(業)은 어디서 충당한 거지?"

"업…… 말입니까?"

"흠, 관련 논문들을 찾아 봐야겠군."

거기까지 말하고 일어난다.

"저기요?"

당황해 부르거나 말거나 그대로 떠나 버린다.

"……아니, 저 새끼가?"

멋대로 왔다 가 버리는 녀석의 태도에 주먹을 부들거리자 아무 말 없이 내 뒤에 앉아 있던 나태석 PD가 웃었다.

"후후. 너무 화내지 마세요. 드래곤 놈들이 대체로 이렇습니다. 오히려 F · D의 태도가 이상했던 거죠."

그의 말에 고개를 끄덕인다.

나를 향한 F · D의 태도가 범상치 않다는 것은 나 역시 절절히 느끼고 있는 문제다.

심지어…… 나는 그린 드래곤, 플라워와 잠자리 직전까지 갔었다. 어둑서니의 방해가 없었다면 분명히 관계를 가지게 되었겠지.

하위종과의 관계가 드래곤들에게 어마어마한 추문이라는 걸 생각해 보면, 오룡과 나와의 관계는 여러모로 정상이 아니다.

'물론 인간과 드래곤이 맺어지는 경우가 전혀 없는 건 아니긴 해.'

드래곤들은 불굴의 의지와 정신력을 가진 영혼에 본능적으로 끌린다고 한다. 흔히 말하는 영웅, 용사 같은 존재들.

용을 처치하러 찾아갔던 용사가 용과 맺어지는 이야기

는 장르판에서는 이미 클리셰가 되었을 정도다. 물론 영혼이 아무리 빛나도 초월지경에 이르지 못하면 [동격]이 되지 못해 맺어지지 않는다는 함정이 있지만.

'하지만 그것도 다 옛날이야기다.'

대우주 시대가 열린 지금은 드래곤들이 과거처럼 서로 만나기 힘든 환경이 아니다.

한 행성에 드래곤 네다섯 있는 상태에서 수천 년 사는 게 아니라 원하기만 하면 우주를 누비며 다른 드래곤을 만날 수도, 드래곤들이 모여 사는 드래고니안에도 갈 수 있는 세상.

이런 세상에서 드래곤이 인간과 맺어질 이유가 없다.

극단적으로 말해 보통의 인간과 맺어지는 드래곤은 드래곤들 사이에서 수간(獸姦)하는 존재와 다를 바 없는 취급을 당한다. 그나마 그 상대가 초월자면 좀 낫다고 하지만 여전히 좋은 취급은 아니다.

'못사는 3세계 어린 처녀와 결혼하는 중년 사내 같은 취급을 당한다던가.'

하기야 격하(格下)의 존재와 맺어지는 경우가 대체로 그러기 마련이다.

"후후. 재연 씨는 F · D에 대해 어떻게 생각하시나요?"

"매력적인 분들이죠. 예쁘고, 능력 있고, 친절하고, 착하고……."

솔직히 그녀들이 항상 붙어 다니는 다섯이 아니라 한

명이었다면 벌써 사고가 나도 옛날에 났을 것이다. 실제로 별다른 유대가 없던 시절에도 플라워와 사고가 날 뻔하지 않았던가?

각기 다른 매력을 가진 데다 내게 아낌없는 가르침과 사랑을 베푸는 그녀들에 대해 아무런 생각이 없을 정도로 나는 바보가 아니다.

'아니, 그 정도를 넘어 자식 딸린 유부남이지.'

비록 다른 사람에게 이야기한다면 뇌내 여친 취급당하겠지만 어쨌든 경험은 그렇다는 말이다.

"관심이 있다는 말이군요."

"음? 무슨 뜻입니까?"

"무슨 뜻일까요? 후후후."

음흉한 태석의 웃음을 마지막으로 임무가 끝난다.

**[용병관리청에서 400억 원을 입금하였습니다.]**

"오, 싸가지가 없긴 해도 씀씀이는 크네."

다시 일과가 시작된다.

태석은 촬영을 끝내고 돌아갔다. 자연스러운 내 일과를 보여 주거나 가끔 잡담을 나누었을 뿐 촬영에 별다른 관심을 기울이지 않았음에도 태석은 대단히 만족하며 돌아갔다.

나는 다시 필사를 시작했다.

배역을 연기하고.

예능을 찍었다.

예능에서의 나는 재미있는 캐릭터는 아니었다. 애초에 나는 돈을 보고 예능에 출연했을 뿐 시청자를 웃겨야 한다는 의지가 전혀 없는 불량 출연자이기 때문.

그러나 20대 중반의 초월자이자 게임신의 사도라는 타이틀은 너무나 강력해서 내가 별거 아닌 일상만 이야기해도 반응이 아주 좋다. 빡빡한 조건에도 출연 제의가 끝이 없을 정도다.

"아, 그러고 보니 오늘이 방송일이네."

나는 필사를 이어 나가다 예능 채널을 틀었다.

몇몇 연예인들이 화면에 나오는 내 일상을 보면서 이런저런 말들을 하고 있다. 원래라면 나도 저 자리에 앉아서 그들의 반응에 대꾸해야 하지만 일이 바빠서 빠지는 것으로 협의했다.

[와. 일정 진짜 장난 없네요…….]

[일주일치 봤는데도 숨이 막히는데 진짜 항상 저렇게 지내는 거예요?]

[아니, 잠을 몇 년 동안 안 잤다고요?]

[와, 일정이 저렇게 빡빡한데 사이사이에 하는 훈련 강도가…….]

[이쯤 해야 초월자가 될 수 있나 보네요.]

내 일과를 보며 호들갑을 떠는 연예인 중에 익숙한 얼

굴들이 보인다.

"아 성재. 그러고 보니 저 녀석이 저 프로 메인 MC라고 했지."

심지어 구면은 그 하나가 아니다.

"혜영도 연예계 생활 잘하고 있나보네."

나와 이런저런 인연이 많은 게임 마스터의 조카, 혜영이 고정 멤버로 리액션을 하고 있다. 나머지 둘은 개그맨이고 또 나머지 둘은 게스트이다.

'아, 그러고 보니 게임 마스터의 조카면 관혜영인가? 어쩌면 이름도 가짜일지 모르지만.'

그렇게 생각하며 방송을 본다.

내가 오룡이들과 훈련하는 모습을 본 혜영이 묘하게 굳은 얼굴로 웃었다.

"하하…… 좀, 스킨쉽이 과한 거 같지 않나요?"

개그맨이 그 말을 받는다.

"귀여운 강아지나 고양이 쓰다듬는 감성이죠. 그런 습성은 꽤 널리 알려져 있잖아요?"

성재가 부연해 설명했다.

"그러고 보니 드래곤들이 눈에는 미추(美醜)는 중요하지 않다고 들었어요. 외모보다는 정신이라던가? 비범한 정신을 가진 인간은 드래곤들이 보기에 미치도록 귀여운 동물과 같다고 하더라고요."

"그러니까 재연 님이 바로 그 비범한 정신의 소유자라

는 거군요?"

"저 나이에 초월자인데 비범하지 않을 리가 없지요."

시끌시끌하게 대화를 나눈다.

그러나 혜영은 납득한 표정이 아니었다.

"아니, 이거, 좀. 아무리 봐도 이성으로 보는 거 같은데."

"네? 하하, 혜영 씨 무슨 아침 드라마에서나 나올 법한 이야기를 하고 그러세요?"

드래곤들 사이에서 인간과 맺어지는 드래곤은 가십의 대상이다. 당연한 일이다. 과거의 시점으로 보면 재벌가 문에서 태어나 키도 크고, 탑배우만큼 잘생기고, 재산이 수백 조는 되는 젊은 미남 CEO가 편의점 알바인, 그것도 평범한 외모의 여성과 사귀는 것과 같다.

입방아에 오르내리는 게 오히려 정상이다.

물론 누군가는 '사랑하면 그만 아닌가?'라고 말할 수 있고, 원론적으로는 맞는 말이다.

그러나 원론은 어디까지나 원론이고 현실의 사람들은 그렇게 생각하지 않는다.

완전히 상관없는 제3자라면 몰라도 다른 재벌. 미남 CEO의 친구. 집안의 어른들에게서 좋은 이야기가 나올 리 만무한 것이다.

'하기야 격하(格下)의 존재와 맺어지는 경우가 대체로 그러기 마련이지.'

[재연 씨를 어떻게 생각하냐고요? 흐음~ 멋진 분이시죠. 별처럼 빛나는 재능을 불굴의 정신으로 정련하는 모습을 보면 절로 응원하게 되기도 하고요.]

[후후. 갓 초월자라 부를 수 없는 수준이야. 가끔 녀석이 힘을 쓸 때…… 오싹오싹하지. 벌써 하급의 절반을 지나가고 있는 것 같은데.]

[하루하루가 달라요. 대체 어디까지 갈 수 있을지 상상하면 절로 웃음이 나오곤 하죠.]

[잘생기지 않았어? 내가 드래곤 감성이라 인간하고는 좀 다르려나? 가끔 그냥 보고만 있어도 너무 좋은 기분이 드는 게…….]

"아니, 이게 뭐야?"

놀랍게도 오룡이 인터뷰를 하고 있다. 골드 드래곤 준혁과의 대화는 자연스럽게 편집되었는데 그녀들은 촬영을 허락하는 건 물론이고 인터뷰까지 한 것!

[내가 말이야. 예전에 영화나 소설에서 그런 거 많이 봤었거든. 인간하고 맺어지는 동족에 관한 이야기 말이야. 아, 어떻게 생각했냐고? 당연히 더럽고 역겹다고 생각했지 뭐.]

드래곤이 인간과 맺어지면 드래곤 사이에서 가십거리

가 된다. 격하(格下)의 존재와 맺어지는 경우가 대체로 그렇기 마련.

그러나 반대로 말하자면.

드래곤과 맺어지는 인간은 인간들 사이에서 최고의 로망이다.

온갖 드라마, 영화, 소설이 괜히 나오겠는가?

[흠. 그런데 말이야. 재연이라면. 재연이라면…….]

인터뷰의 마지막 순서인 루비가 카메라를 보며 웃는다.

천진난만한, 그러나 너무나 고혹적인 미소.

[어쩌면 괜찮을지도? 히히.]

그리고 다음 날.

34지구의 모든 연예 관련 방송이 터져 나갔다.

**〈한재연과 F · D 전원과 심상치 않은 관계?〉**

**〈F · D만 소속되어 있던 드래곤 스타에 한재연이 입사한 사연은?〉**

**〈마성의 남자, 한재연.〉**

**〈게임신의 권능은 호감도 조작?〉**

"난리 났네……."

나는 원래부터 높은 인지도와 화제성을 가지고 있었다.

위대하고 위대한 게임 마스터의 사도.

이민자 출신의 20대 초월자.

연기력을 인정받은 인기 배우.

온갖 CF와 예능을 섭렵한 슈퍼스타이니 인터넷에서 이름을 찾는 건 그리 어렵지도 않던 일.

그러나 지금은 그때와도 차원이 다르다.

영능 관련 사이트에 들어가면.

**〈저도 초월지경에 오르면 드래곤하고 연애할 수 있나요?〉**

**↳백년수련중: 그딴 마인드로 잘도 초월하겠다.**

**↳나도어르신: 초월지경이 장난임?**

**〈한재연 뺑튀기된 가라 초월자라던 놈들 다 어디 갔냐?〉**

**↳드래곤러버: 맞아. 그런 수준이었으면 드래곤이 붙을 수가 없음**

**↳민트맛: 하급의 절반…… 설마 25레벨 말하는 건 아니지? 하긴 말도 안 되지.**

**↳고영희: 20.5레벨이나 전체 하급 초월자 중 중간 이상이라는 뜻이겠지. 하급 초월자 평균 수준이 22레벨인가 그러던데.**

↳초록농농: 25레벨은 말도 안 됨. 엔간한 고룡(古龍)급임.

↳수련8282: 심지어 20대에? 리얼 선 넘지.

연예 관련 사이트에 들어가면.

〈와, 장르 소설에서나 나오던 걸 현실로 보네. 한재연 그는 신인가?〉

↳녹색돋보기: ㅉㅉ 너는 방송을 믿음? 당연히 컨셉이지.

↳달이차오른다: 드래곤이 뭐가 아쉬워서 방송을 컨셉대로 함?

↳초코바: 아니 F · D언니들 ㅜㅜ 이게 무슨 일이야…….

〈피눈물 나지만 행복하다면 OK입니다.〉

↳번개동자: 아니 그래도 5:1은 좀 아니지 않음?

↳심란하다: 문란하다 문란해.

심지어 그냥 커뮤니티 사이트에 들어가도.

〈게임신의 사도라고 치트키를 쓴 거다! 그의 권능은 연예 시뮬레이션 계열 호감도 조작이다! 이는 기사로도 있다!〉

↳심란하다: 병신아 카더라잖아.

〈나 남잔데…… 아무리 그래도 좀 더럽지 않음? 1,000살이랑 25살인데.〉

↳~~용용죽~~겠지: 아무리 그래도 더러울건 또 뭐냐.

↳김진호근육러버: 갓 성인하고 갓 성룡이니 딱 맞는 나이인데요?

↳매드맥스 : 찐짜 격 안 맞는다. 인남충 자살해.

"아이고……."

문제는 그뿐이 아니다.

〈34지구의 예능 장면 중.〉

↳기가스부자: 34지구가 초월종 쉽게 본다는 이야기는 많이 들었지만 방송 컨셉이 좀 지나치네……

↳황금장미꽃다발: 아니 드래곤, 그것도 스페이스 스타 F · D가 하위종이랑?

↳체리링: 이거 진짜인가? 확인해 봐야 하는 거 아님?

나는 틀림없는 유명인이지만 그 유명세는 어디까지나 34지구 한정이었다. 우주 단위로 보면 초월자가 이렇게 드문 수준도 아니고, 게임신의 사도라는 건 34지구에서나 인정할 만한 명함이니 당연한 일.

그러나 스페이스 스타 F · D와의 열애설이 터지면서, 내 이름이 대우주 곳곳으로 퍼져 나가고 있다.

"이렇게 우주에 이름을 퍼트릴 생각은 없었는데……."

나는 체다의 배를 두들겨 커뮤니티를 꺼 버리고 자리에서 일어났다. 저 멀리에서 소란을 감지했기 때문이다.

드래곤 스타의 방들은 방음이 완벽한 곳이지만 초월의 감각을 막아설 정도는 아니다.

"너희 다 제정신이야? 뭘 어쩌려고 이러는 거야?"

"어둑이 오빠 단단히 화났네."

"말 험해지는 거 봐."

"더 험하게도 할 수 있어! 너네 미쳤어!?"

문을 열고 들어간다. 라운지에는 오룡과 그녀들의 매니저 어둑서니가 있었다.

"너."

나를 본 어둑서니의 표정이 서늘해진다.

훅.

어둠이 번진다. 어둑서니의 기다란 장발 뒤로 별들이 반짝이는 거대한 어둠이 펼쳐진다.

쉐도우 드래곤(Shadow Dragon).

초월종으로 이름 높은 용종 중에서도 가장 강력한 종 중 하나다.

용황족, 흔히 '드래곤'이라 불리는 종 중에서는 왕족이나 다름없는 혈통.

'강하다.'

폐급 마나 적성을 이겨 내고 초월지경에까지 오른 나는 지금 그와 나 사이의 격차를 대략적으로 가늠할 수 있었다.

평소였으면 어림도 없겠지만 어둑서니가 흥분한 상태이기에 가능했다.

'조금 버티겠지만…… 내가 진다.'

승률이 전혀 없는 것은 아니다. 굳이 확률로 따지자면 5% 정도.

그러나 '기세'로 인한 가늠은 로그인과 로그아웃을 전제로 하지 않았고, 자연스레 의문이 든다.

'진짜로 싸워도…… 지려나?'

나는 익스퍼트라고 말하기도 민망한 시절에도 사경을 헤매며 소드 마스터를 죽였고 초월지경에 이르지 못한 몸으로 초월자를 살해했다.

게임 시스템과 로그인, 로그아웃의 힘은 너무나 강력해 한때 무공과 차크라 전투법을 다 단기 결전용으로 맞췄을 정도.

즉, 내가 진짜로 '전력'을 다 한다는 건.

'궁금하다.'

한 단계, 어쩌면 두 단계 위의 상대도 이겨 낼 수 있다는 말이다.

'궁금해.'

쩌적!

나와 어둑서니 사이 바닥에 균열이 생긴다.

"하…… 나참."

어둑서니가 기세를 가라앉힌다. 그가 짜증이 난다는 듯 어둠 그 자체인 머리칼을 헝클어트렸다.

"아! 나도 모르겠다. 너희도 저 녀석도 초월자인데 강압할 문제는 아니지. 하지만 명심해. 대외적으로는 어떻든 너희는 미성년자니…… 원로분들이 가만히 있지 않을 거다."

그 말을 끝으로 어둑서니가 라운지를 나가 버린다.

적막에 빠진 라운지.

나는 뚜벅뚜벅 걸어가 라운지 중앙에 있는 의자에 앉았다.

그리고 말한다.

"자, 해명."

"아이, 재연 씨. 왜 정색하고 그래요."

스노우가 능글맞게 웃으며 스킨십을 시도한다.

나는 그녀의 손등을 꼬집어 주었다.

생체력 초월자의 꼬집!

"아야!"

"지금 장난하는 거 아니야. 자리에 앉아."

말까지 놔 버린다.

"앗……."

"에……."

"어라라……?"

정색하는 내 모습에 오룡이 주춤주춤하며 자리에 앉는다. '어라 이게 아닌데?'라는 표정들이지만 황제 노릇 원 투 데이 한 것도 아니고 분위기에 휩쓸려 할 말을 못할 내가 아니다.

"엣…… 왜 우리가 혼나는 구도지?"

"혼나야지. 방송에서 멋대로 열애설을 터트렸잖아."

내 단호한 말에 루비가 항의한다.

"아니이~ 나는 그냥 평소의 솔직한 감정을 말한 것뿐이야."

"맞아, 맞아. 그게 관찰 예능이라는 거 아닌가. 그냥 평소대로 한 건데."

"평소에는 스킨십도 유혹도 다 흘려 넘기면서."

"맞아, 맞아."

금세 기가 사는 모습에 한숨이 절로 나왔다.

"내가 하위종이니 쉽게 보는 거야? 일단 수습할 수 없는 상황이면 맘대로 휘두를 수 있을 거라고?"

"……!"

내 말에 오룡이 펄쩍 뛰었다.

"뭣? 아니다! 무슨 그런 생각을 해!?"

"재연 씨, 오해예요."

"하여간. 루비 녀석이 급발진해서!"

"아니, 여기서 내 탓을 한다고?"

당황하는 그녀들을 보며 생각한다.

'그래. 알고 있었다. 그녀들은…… 나를 남자로 여기고 있어.'

그러나 아무리 생각해도 이 구도는 정상이 아니다.

'너무 충동적이야.'

인간과 드래곤이 맺어지는 경우가 없는 것은 아니지만 대체로 정신적인 사랑에 가깝다. 자식을 낳는다고 해도 사랑하는 반려와의 결실이 보고 싶다는 개념이지 성적으로 흥분해서 사고 친다는 개념이 아니다.

반면 오룡은 어떤가?

시도 때도 없는 스킨십, 일상처럼 이어지는 유혹.

마치 성욕이 왕성한 고등학생을 보는 것 같다.

"어, 음. 미안하다. 그런 생각은 아니었는데…… 우리가 충분히 표현하고 있는 것 같은데도 반응이 없어서 초조해졌던 것 같다."

흑요가 정중히 사과한다.

나는 생각했다.

'아르데니아 때문인가? 8개의 화점? 신화 클래스? 아니며 대기를 품은 극의지체?'

두뇌를 풀가동해 봐도 알 수 없다. 나라는 인간의 특이성은 너무나 많아서 무슨 가정을 해도 확신이 불가능하기 때문이다.

"아, 저, 미안해!"
"……죄송해요."
"조금 심통을 부렸어요."
"미안."
내가 가만히 있자 쭈뼛쭈뼛 다가온 오룡이 사과한다.
그 모습들이 자신의 감정에 어쩔 줄 몰라 하는 어린아이처럼 천진하고 사랑스러워, 나는 그만 피식 웃고 말았다.
"다신 이러지 마. 나도 난감하다고. 반응이 없다니……상대가 한 명이면 몰라도 다섯인데 어떻게 반응을 해? 자매처럼 친한 친구들 사이를 싸움 붙이는 게 되잖아."
"……!?"
"엇!?"
"그런……."
"아……!"
"맙소사!?"
새삼스럽게 깜짝 놀라는 오룡을 두고 방을 나선다.
그리고 생각한다.
'앞으로 어떻게 되는 거지.'
그녀들이 평범한 드래곤이었다면 구설수야 좀 있더라도 사귀면 그만이다. 드래곤은 개별적인 존재니 본인들만 마음먹으면 누가 막겠는가?
'그러나 그녀들은 평범한 드래곤이 아니지.'

스페이스 스타, F · D는 수십만 년간 용족을 이끌어 온 원로 중의 원로, 크로매틱 드래곤이다.

그녀들의 매니저인 어둑서니조차 그 사실을 모르지만…… 정말 아무도 모를 리는 없다.

'최악의 경우에는 드래고니안에서 조치를 취할 수도 있다.'

그러나 당장 내가 어쩔 수는 없는 일.

그리고 아무리 드래고니안이라 해도…… 게임 마스터가 두 눈 시퍼렇게 뜨고 있는 34지구에서 나를 강압하는 건 불가능한 일이다.

"모르겠다! 일이나 해야지."

사야 할 주식이 태산인데 그깟 연애가 뭐 그리 중요하단 말인가?

"요즘 엄청난 화제의 인물이죠? 한재연 씨입니다!"

나는 오히려 더 적극적으로 예능에 출연했다.

"대사를 읊은 다음에 점프! 소문을 들어 보니 광속으로 뛸 수 있다며?"

연기를 하고.

"그렇게 방송 출연도 많이 하면서 꼬박꼬박 잘도 참여하는군. 요번 거 끝나면 바로 다음 임무도 있다."

임무를 뛴다.

여기에 지속적으로 쏟아지는 인세까지 더하니 벌어들

이는 돈이 그야말로 상상을 초월한다.

어느 선을 넘어가면 돈에 초탈해지는 초월자들과 달리 나는 돈을 벌기 위해 할 수 있는 모든 걸 다 했다. 빚쟁이로 유명한 대마법사 럭키 스트라이크도 나만큼 열심히 일하지는 못하겠지.

그렇게 하루, 이틀, 사흘, 나흘.

일 주, 이 주, 삼 주, 사 주.

한 달, 두 달……

나를 두고 온 세상이 시끄럽건 말건 나는 일과를 반복했다. 일과는 수익이 되어 내 계좌를 충실하게 채워 나갔다.

그리고 마침내, 내가 기다리던 순간이 왔다.

**네메시스 - 3,888,120원(+12,310원)↑**

내가 네메시스 주식을 가지고 있으면 네메시스의 주식이 하락한다. 내가 리벤지의 [지분]을 가지고 있으면 네메시스가 예지의 범위에서 벗어나 버리기 때문이다.

예지를 맹신하지는 않더라도 참고는 하는 게 주식계의 큰손들.

그들이 투자를 하지 않고, 심지어 돈을 빼기까지 하면 주식이 폭락하는 것은 필연이다. 개미는 결국 개미일 뿐 결국 가장 큰 자본을 쥐고 있는 자들은 따로 존재하기 때문이다.

'하지만 그것도 한계가 있지.'

아무리 주식이 예지의 범위에서 벗어난다 해도 0원까지 떨어질 리야 있겠는가? 네메시스는 건실한 기업이고 수익도 꾸준히 내고 있다.

불안해서 발을 빼는 것도 하루이틀이지, 결국 올라갈 주식은 올라갈 수밖에 없는 게 현실이다.

"그리고 그렇다면……. 지금이 진짜 저점이지."

죽어라 돈을 모아온 것이 바로 지금의 이 풀매수를 위한 것.

그러나 주식 앱을 조작하려는 순간 체다가 울었다.

"야옹! 야옹!"

"뭐야 설마 다시 폭락하나?"

그러나 잘 보니 알람이 아니라 전화 통화, 나는 별생각 없이 체다의 코를 눌렀다.

[여보세요. 한재연 씨 맞으시죠?]

"아, 네. 맞습니다. 누구시죠?"

체타를 통해 모르는 번호로 전화가 오는 건 보통 일이 아니다. 나는 몇몇 중요 인물을 제외한 모든 번호를 차단해 두기 때문.

그럼에도 연락을 할 수 있다면 차단을 풀 수 있는 범죄 집단이거나.

국가 단체다.

[국세청입니다. 세금 문제로 전화드렸습니다.]

"……."

네 아내와 딸을 인질로 잡고 있다는 말보다 가슴이 철렁하는 말이다.

"세금, 문제라는 게, 어떤……."

[당연히 세금 체납 문제지요. 벌이도 엄청나신데 이러시면 안 됩니다. 자동 이체도 안 걸어 두시고 연락도 안 받으시다니요. 강제 집행당하시면 아무리 초월자라도 좋을 게 없어요.]

"아, 그, 죄송합니다. 체납된 세금이 얼마나 되죠?"

몰려오는 공포에 말이 다 떨려 나온다. 짐작 가는 바가 있었기 때문이다.

'그러고 보니 나는…… 주식을 사고 있다.'

지금까지 세금을 내지 않았다. 34지구의 은혜로운 게임 세액 공제를 받았기 때문이다.

그러나 게임 세액 공제가 아무리 너그러워도.

게임 회사 주식을 사는 것까지 인정하지는 않는다.

[어디 보자, 밀리신 세금이 총…….]

그것은 냉정하고, 잔혹하고, 싸늘한 목소리였다.

[2,187억 4,432만 321원입니다.]

(열일하는 과금 기사 10권에서 계속)